W. J. M. WIPPERSBERG

DER KATER KONSTANTIN

K·TH·V

W. J. M. WIPPERSBERG

DER KATER KONSTANTIN

K. THIENEMANNS VERLAG STUTTGART

1. Auflage 1977
Umschlag und Illustrationen von Helga Demmer

Satz und Druck: Hans Bulla & Sohn, 1090 Wien, Nußdorfer Straße 14
Printed in Austria
ISBN 3 522 12550 9 · Verlagsnummer 1255

EIN KATER WILL INS SCHWIMMBAD

Es war an einem Donnerstagnachmittag im Sommer.

Der Bäckermeister Semmelweiß öffnete seine Ladentür — aber nur einen Spalt breit. Er blinzelte hinaus auf die Stifterstraße.

„Was für eine Hitze!“ stöhnte er.

Als Bäcker war Herr Semmelweiß Hitze gewohnt. In seiner Backstube war es auch nicht gerade kalt, aber doch nicht halb so heiß wie hier zwischen den Häusern. Zumindest glaubte das Herr Semmelweiß.

„Heiß wie in einem Backofen ist es!“ seufzte er. „So eine richtige Backofenhitze hält nicht einmal ein Bäcker aus.“

Die Stifterstraße lag ein wenig abseits vom großen Verkehr. Sie war ein ruhiges Seitengäßchen. Aber heute schienen selbst die Häuser zu schlafen. Damit die Hitze nicht auch in die Zimmer kroch, hatten die Leute ihre Fenster verhängt.

Das sieht aus, als wären den Häusern die Augen zugefallen — vor Müdigkeit und Hitze, dachte Herr Semmelweiß.

Dann gähnte er laut. Die Hand hielt er sich nicht

vor den Mund, dazu war er viel zu schläfrig. Aber was machte das schon aus? Heute ließ sich ohnehin keine Menschenseele auf der Straße blicken.

Nur ein großer schwarzer Kater schlich daher.

Herr Semmelweiß gähnte noch einmal.

„Ich werde mich ein Stündchen aufs Ohr legen", beschloß er. „Die Leute gehen ja doch erst am Abend einkaufen, wenn es ein bißchen kühler ist."

Da kam der große schwarze Kater vor seinem Laden an.

Er stellte sich auf die Hinterbeine und sagte höflich: „Guten Tag, mein Herr. Können Sie mir bitte den Weg zum Schwimmbad zeigen?"

„Schwimmbad?" fragte Herr Semmelweiß und überlegte. „Hm, ganz einfach. Da gehst du die Stifterstraße hinunter ..."

Weiter kam er nicht.

„Ja, und weiter?" fragte der Kater.

Aber Herr Semmelweiß sah plötzlich aus, als hätte man sein Gesicht mit Mehl bestäubt. So blaß war er geworden.

„Eine sprechende Katze!" murmelte er.

Dann griff er sich mit beiden Händen an den Kopf und stotterte: „Das darf doch nicht wahr sein! Eine sprechende Katze! Ich glaube ... o Gott, o Gott ... ich fürchte, ich war zu lange in der Sonne. Ich habe einen Sonnenstich!"

Herr Semmelweiß knallte die Ladentür zu — und schrie gleich danach ganz schrecklich auf. Er hatte den Kopf noch nicht ganz zurückgezogen gehabt und sich die Nasenspitze eingeklemmt.

„Warum werfen Sie sich selber die Tür an den Kopf?" fragte der Kater erstaunt. Er stand immer noch auf den Hinterpfoten. „Sie müssen es anders machen: Zuerst den Kopf zurückziehen und dann die Tür von innen schließen."

Da stammelte der Bäcker: „Ja. Danke! Vielen Dank für den Tip", und er tat, wie ihm der Kater geraten hatte.

Das große schwarze Tier trat näher an die geschlossene Ladentür heran.

So konnte es hören, wie der Bäcker drinnen immer wieder rief:

„Hilfe! Einen Arzt! Ich habe eine sprechende Katze gesehen! Ich habe einen Sonnenstich! Hilfe!"

Der Kater schüttelte den Kopf.

„Seltsame Geschöpfe — diese Menschen!" meinte er zu sich selber.

Dann ließ er sich wieder auf die Vorderpfoten nieder und trippelte weiter.

Die Stifterstraße nickte wieder ein und schlief noch ein Weilchen. Nichts rührte sich, nur die heiße Luft flimmerte über dem Straßenpflaster.

Da traten zwei Kinder aus einem Haus. Ein hoch

aufgeschossener, magerer Junge und ein pummeliges Mädchen.

„Puh!“ ächzte der Junge. Die Hitze verschlug ihm fast den Atem.

„Komm, beeilen wir uns!“ drängte das Mädchen.

Die beiden rannten los.

Aber schon an der nächsten Straßenecke sprach sie jemand an: „Hallo, ihr zwei! Bin ich hier richtig? Ist das die Stifterstraße?“

Die Kinder blickten sich um.

Wer hatte da gesprochen?

Es war niemand da — nur ein großer schwarzer Kater.

Dieses Tier aber richtete sich auf die Hinterbeine auf und fragte: „Steht da oben ‚Stifterstraße‘?“

Mit seiner rechten Vorderpfote deutete es die Hausmauer hinauf. Dort war ein Straßenschild angebracht.

„Ja“, antwortete der Junge.

Und das Mädchen sagte noch: „Da oben steht ‚Stifterstraße‘.“

„Ihr glaubt wahrscheinlich, ich kann nicht lesen“, meinte der Kater und strich verlegen über seine Schnurrbarthaare. „Aber das stimmt nicht. Ich kann sogar sehr gut lesen. Nur bin ich leider ziemlich kurzsichtig.“

„Da solltest du dir eine Brille besorgen“, schlug der Junge lachend vor.

„Woher denn?“ fragte der Kater. „Woher soll eine Katze eine Brille bekommen?“ Er sagte das ein wenig traurig.

„Du müßtest lustig aussehen mit Gläsern vor den Augen“, meinte der Junge.

Aber das Mädchen widersprach: „Nein. Du wärst mit einer Brille genauso hübsch wie jetzt.“

Da begann der Kater auf einmal zu schnurren. Und

ein bißchen eitel fragte er: „Du findest mich wirklich hübsch?"

„O ja, sehr!" wollte das Mädchen rufen. Aber da erschrak es. Und gleichzeitig erschrak auch sein Bruder.

„Ich weiß schon", sagte das große schwarze Tier und grinste freundlich. „Ihr habt auch noch nie einen sprechenden Kater getroffen, wie?"

„Nein", flüsterte das Mädchen.

Und der Junge stammelte: „So etwas gibt es doch gar nicht. Höchstens in Märchenbüchern."

„Ja eben", meinte der Kater.

„Was eben?" fragte der Junge.

„Ich bin aus so einer Art Märchen davongelaufen. Aus einer Geschichte. Sie war noch gar nicht fertig."

Die Kinder verstanden den Kater nicht.

„Ich kann es euch erklären. Aber wir sollten nicht zu lange in der Sonne stehen. Sonst bekommen wir einen Sonnenstich."

Dem Kater gefiel das neue Wort, das er vom Bäckermeister Semmelweiß gelernt hatte.

„Wo wollt ihr beide denn hin?"

„Ins Schwimmbad."

„Fein!" Der Kater freute sich. „Da möchte ich auch hin. Nehmt ihr mich mit?"

„Natürlich", sagte der Junge.

Und das Mädchen rief: „Na, dann! Worauf warten wir noch?"

Also gingen alle drei los.

Und der Kater erzählte: „Etwas außerhalb der Stadt — oben auf dem Schloßberg —, da wohnt ein Schriftsteller. Ihr wißt doch, was ein Schriftsteller ist?"

„Klar", meinte der Junge, „das ist einer, der Geschichten schreibt."

Der Kater nickte. „Der da oben heißt Fliederbusch. Er schreibt Geschichten für Kinder. Gestern am Abend hat er sich hingesetzt und hat eine neue Geschichte angefangen. Da kommt ein großer schwarzer Kater darin vor. Und der bin ich."

„Aber warum bist du denn davongelaufen?" wollte das Mädchen wissen.

„Ich durfte überhaupt nichts tun, was mir Spaß machte. Es sollte in dieser Geschichte zugehen wie in den alten Märchen. Die Tiere sollten sprechen wie die Menschen. Und das finde ich dumm. Tiere sprechen wie Tiere, nicht wie Menschen. Aber Herr Fliederbusch versteht ja nichts von Tieren, und von Katzen schon gar nichts. Ich muß darum sprechen wie ein Mensch. Herr Fliederbusch wollte es so. Dagegen konnte ich nichts tun. Aber was er mich sprechen ließ! Ihr könnt euch nicht vorstellen, wie langweilig das war. Dreimal bin ich mitten in einem Satz eingeschlafen vor lauter Langeweile."

„Und? Weiter?" drängte der Junge.

„Heute zu Mittag war mir schrecklich heiß. Da habe

ich zu Herrn Fliederbusch gesagt: ‚Ich möchte baden gehen.' Aber der war ganz böse: ‚Dazu ist keine Zeit. Wir müssen die Geschichte fertigschreiben', hat er gesagt. — Und wißt ihr, was er noch gesagt hat?"

„Nein. Keine Ahnung."

„Er hat gesagt, Katzen wären wasserscheu! — Da bin ich einfach davongelaufen. Bei einem Mann, der so etwas glaubt, bleibe ich nicht."

Das Mädchen lachte: „Da sitzt dieser Herr Fliederbusch jetzt aber schön in der Tinte."

„O nein!" entgegnete der Kater. „Er sitzt wahrscheinlich an seinem Schreibtisch und denkt sich eine neue Geschichte aus. Ich habe ihn immer nur auf einem Stuhl sitzen sehen, niemals in der Tinte."

„In der Tinte sitzen, das ist nur so eine Redensart", erklärte das Mädchen lachend.

„Redensarten verstehe ich nicht", sagte der Kater. „Ich verstehe nur Wörter und Sätze. Wenn du Tinte sagst, dann ist das für mich eine Flüssigkeit zum Schreiben, eben Tinte."

Die drei gingen weiter.

Plötzlich blieb das Mädchen noch einmal stehen. „Jetzt weiß ich nicht: Bist du nun ein richtiger Kater oder . . .?"

„Greif mich einmal an!" forderte der Kater das Mädchen auf und streckte ihm die rechte Vorderpfote hin.

Das Mädchen nahm sie. Es war eine richtige samtweiche Katzenpfote.

„Übrigens, ich heiße Konstantin", stellte sich der Kater vor.

„Und ich heiße Uschi."

Da reichte auch der Junge dem Kater die Hand.

„Ich heiße Philipp. Aber alle sagen Flip zu mir."

„Schön, daß ich euch getroffen habe." Konstantin verbeugte sich höflich.

„Darf ich dich auch ein bißchen streicheln?" fragte Uschi.

„O ja!" Die grünen Augen Konstantins leuchteten auf vor Freude. „Hier unten am Hals habe ich es am liebsten."

Da kraulte Uschi den Hals des Katers, und Philipp streichelte seinen Kopf. Konstantin gefiel das so gut, daß er schnurrte wie ... na eben wie ein Kater, der sich sehr, sehr wohl fühlt.

Dann aber meinte er: „Das könnte stundenlang so weitergehen. Wenn es nur hier nicht so heiß wäre!"

„Hat dich Herr Fliederbusch nie gestreichelt?" erkundigte sich Uschi.

„Nicht ein einzigesmal!" fauchte Konstantin wütend. „Ich sage euch ja: er hat keine Ahnung von Katzen. Ich bin wirklich froh, daß ich euch getroffen habe."

Jetzt beeilten sich die drei aber.

Sie kamen im Laufschritt vor dem Schwimmbad an. Neben dem Eingang hing eine Tafel mit den Eintrittspreisen.

Der Kater Konstantin kniff die Augen zusammen. So konnte er besser lesen, was darauf stand.

„Muß man da wirklich fürs Baden bezahlen?“ fragte er erstaunt. „Ich habe nämlich kein Geld. Wo sollte ich es auch haben? Mein Fell hat ja keine Taschen, wo ich’s einstecken könnte.“

Philipp griff in seine Hosentasche. Er zog ein paar Münzen heraus.

„Das wird auch für dich reichen“, tröstete er Konstantin.

Dann ging er zur Kasse. Ein junger braungebrannter Mann saß dahinter.

„Zweimal Kinder und einmal Katze“, verlangte Philipp.

„Katze?“ Der junge Mann lachte. „Katzen dürfen nicht ins Schwimmbad.“

„Aber einmal könnten Sie doch eine Ausnahme machen“, bat Philipp. „Es ist nämlich eine ganz besondere Katze.“

Er drehte sich nach Konstantin um.

„Komm, Konstantin, sag etwas! Zeig dem Herrn, was du kannst."

Aber der Kater sagte nur: „Miau!" Und noch einmal: „Miau!"

Der junge Mann lachte wieder. Er kam hinter seinem Schalter hervor und kniete neben Konstantin nieder.

„Tut mir leid, Mieze. Aber das mußt du dir aus dem Kopf schlagen. Es ist behördlich verboten, Tiere mit ins Bad zu nehmen."

Da lief der Kater zurück auf die Straße. Uschi und Philipp hinter ihm nach.

Und sie sahen: Konstantin saß auf dem Gehsteig und hämmerte mit den Vorderpfoten auf seinen Kopf ein.

„Was machst du denn da?“ rief Uschi erschrocken.

„Der Mann hat gesagt, ich muß es mir aus dem Kopf schlagen“, sagte Konstantin und trommelte weiter auf seinen Kopf.

„Aber das ist doch wieder nur so eine Redensart“, lachte Philipp.

Der Kater ließ erleichtert seine Pfoten sinken.

„Da bin ich aber froh. Das Aus-dem-Kopf-Schlagen tut nämlich ordentlich weh. Ich sehe schon, mit euren Redensarten werde ich es nicht leicht haben.“

„Warum hast du denn mit dem Mann an der Kasse nicht gesprochen?“ fragte Philipp. „Einen sprechenden Kater hätte er bestimmt hineingelassen.“

Konstantin aber machte ein beleidigtes Gesicht.

„Wenn er mich als gewöhnlichen Kater nicht baden läßt, dann will ich auch als sprechender Kater nicht hinein. Ich glaube, es gibt hier in der Nähe einen Fluß. Da werde ich eben dort baden.“

„Und ich habe mich schon so darauf gefreut, daß du mit uns kommst“, sagte Uschi enttäuscht.

Konstantin schielte zu ihr hinauf.

Dann lachte er.

„Weißt du nicht, daß Katzen ein ganz famoses Gehirn haben? Und dieses famose Katzenhirn wird sich jetzt eben etwas einfallen lassen. Achtung, aufgepaßt!“

Konstantin setzte sich auf seine Hinterpfoten, legte

sorgsam den Schwanz um die Vorderpfoten und drückte fest die Augen zu.

Bald darauf rief er: „Eins, zwei, drei, ich hab's!"

„Was denn?"

„Das werdet ihr schon sehen. Geht nur voraus, ich komme nach."

Die beiden Kinder zögerten.

„Geht nur", meinte der Kater. „Ich komme nach, ganz bestimmt."

Da kauften Uschi und Philipp ihre Eintrittskarten.

Der Kater schaute ihnen nach. Sie verschwanden im Schwimmbad.

Konstantin blieb noch eine Weile auf dem Gehsteig sitzen, dann machte er sich auf den Weg.

DER HERR BÜRGERMEISTER HAT ES ERLAUBT

Zweimal schlich der Kater Konstantin rund um das Schwimmbad, dann fand er ein kleines Loch im Zaun. Er machte sich ganz schmal und schlüpfte durch.

Jetzt muß ich nur noch Uschi und Flip suchen, dachte Konstantin.

Genauso wie für einen Menschen eine Katze wie die andere aussieht, so sehen auch für eine Katze die Menschen ganz ähnlich aus. Darum hatte sich Konstantin die beiden Kinder ganz genau angesehen. Uschi trug ein blaues Leinenkleidchen. Philipp hatte kurze weiße Hosen an und ein knallrotes Hemd mit kurzen Ärmeln.

Als sich Konstantin aber jetzt umsah, erschrak er. Auf der Wiese, auf den Holzliegen rund um die beiden Schwimmbecken und im Wasser, da gab es so viele Menschen. Große Menschen, kleine Menschen. Und das Schlimmste war: alle waren beinahe nackt. Sie trugen nur winzige Badeanzüge oder Badehosen. Nicht ein einziges Mädchen hatte ein Kleid an, und nicht ein einziger Junge trug ein Hemd.

Wie sollte der kurzsichtige Kater Konstantin da

Uschi und Philipp herausfinden? — Das war ganz und gar aussichtslos.

Entlang des Zaunes waren kleine Birken gepflanzt worden. Konstantin legte sich in den Schatten eines dieser Bäumchen und dachte nach.

Diesmal dauerte es eine ganze Weile, bis er rufen konnte: „Eins, zwei, drei, ich hab's!"

Er stand auf und sagte sich: „Wenn ich die beiden nicht finden kann, dann müssen die beiden eben mich finden."

Am Ende des einen der beiden Schwimmbecken ragte ein Sprungturm in den wolkenlosen Himmel. Die meisten Leute sprangen vom Einmeterbrett und vom Dreimeterbrett. Aufs Fünf- oder Zehnmeterbrett wagten sich nur wenige.

Ich werde mich auf das oberste Brett stellen, beschloß Konstantin. Da werden mich Uschi und Flip bestimmt sehen.

Konstantin lief quer über die Wiese. Die Menschen kümmerten sich nicht um ihn. Sie bemerkten ihn gar nicht. Sie ließen sich in der Sonne braten und waren zu faul zum Schauen. Einem dicken Herrn trat Konstantin sogar auf die Hand, aber der Dicke grunzte nur und wischte sich den Schweiß von der Stirn.

Konstantin war froh, als er endlich den Sprungturm erreichte. Seine empfindliche Katzennase hatte unter dem Geruch von Menschenschweiß und Sonnenöl arg gelitten. Hier am Beckenrand roch es nach dem Chlor im Wasser. Das war auch kein feiner Geruch, aber ein bißchen angenehmer war er doch.

Blitzschnell huschte der Kater jetzt über die heißen Betonstufen den Turm hinauf.

Vorsichtig trat er auf das Zehnmeterbrett.

Schritt für Schritt wagte er sich vor bis an den Rand. Als er dann hinuntersah, wurde ihm fast schwindlig. Mit allen vier Pfoten krallte er sich fest.

Bald aber hatte er sich an die luftige Höhe gewöhnt. Er legte sich ganz vorne hin auf den Bauch und ließ die Vorderpfoten baumeln. Die Sonne brannte auf sein Fell. Und es roch gut hier oben. Konstantin fühlte sich wohl.

Außerdem mußte man ihn gut von unten sehen können.

Aber es schaute niemand zu ihm herauf.

Da rief Konstantin: „Hallo! Uschi! Flip! Hier! Da bin ich!"

Tatsächlich blinzelten ein paar Leute hinauf zum Turm. Hatte da nicht ein Mensch gerufen? Es war aber keiner dort. Darum hielten sie ihre Gesichter wieder der Sonne entgegen. Sie konnten ja nicht wissen, daß es ein Kater war, der gerufen hatte.

Konstantin wartete. Aber niemand entdeckte ihn. Gerade wollte er wieder hinunterkletterrn, da hörte er ein Klatschen. Es kam immer näher.

Ein Mann stieg die Treppe herauf. Er hatte riesige Plattfüße, die klatschten auf den Betonstufen.

Jetzt entdeckte der Mann auch Konstantin.

„Hat man so etwas schon gesehen!" wunderte er sich. „Da legt sich hier oben eine Katze in die Sonne! Komm, Miezekatze, du mußt weg von hier. Ich springe nämlich gleich. Und da federt das Brett so stark, daß du mit mir hinunterfällst."

Konstantin erhob sich und machte dem Mann Platz.

„Brave Miezekatze!" lobte ihn der Mann mit den Plattfüßen.

Dann stellte er sich ganz vorne an die Kante des Sprungbretts. Er streckte die Arme aus und hüpfte ein wenig.

Da fiel dem Kater Konstantin ein: Er konnte diesen Mann fragen. Vielleicht hatte er Uschi und Philipp gesehen.

„Mein Herr!" rief Konstantin.

Der Mann drehte sich um.

„Ich bin hier im Schwimmbad mit zwei Kindern verabredet. Sie heißen . . ."

Der Plattfüßige hatte zuerst geglaubt, es wäre noch ein Mensch auf den Turm geklettert. Jetzt aber sah er den Kater sprechen. Das erschreckte ihn so sehr, daß er nach hinten kippte.

Es knallte ganz schrecklich, als er auf dem Wasser aufschlug. Eine Welle schwappte über den Beckenrand.

Die Leute rund um das Becken sprangen erschrocken auf. Es dauerte eine Weile, bis der Plattfüßige wieder auftauchte.

Prustend kletterte er aus dem Wasser und keuchte aufgeregt: „Da oben! Da oben ist eine Katze! Sie hat mit mir gesprochen!"

Er mußte eine Menge Wasser geschluckt haben, denn mit jedem Wort brach ein Wasserschwall aus seinem Mund.

Ein Mann in einem weißen Leibchen kam dahergerannt.

Es war der Bademeister.

„Bei Ihnen ist wohl eine Schraube locker!" brüllte er den Plattfüßigen an.

Und Konstantin — oben auf dem Zehnmeterbrett — dachte verwundert: Komisch! Der Plattfüßige hat doch überhaupt keine Schraube an seinem Körper, die hätte ich doch sehen müssen.

Aber der Bademeister schrie weiter: „Sie können von Glück reden, daß Sie noch leben!"

Der Mann mit den Plattfüßen spuckte noch einmal eine Ladung Wasser aus. Dann stotterte er: „Ich versichere Ihnen, Herr Bademeister, da oben ist eine Katze!"

Der Bademeister hörte aber nicht auf ihn. Er schrie: „Vom Zehnmeterbrett dürfen nur Leute springen, die das auch können!"

„Aber ich kann es ja!" empörte sich der Plattfüßige. „Ich bin Landesmeister im Turmspringen."

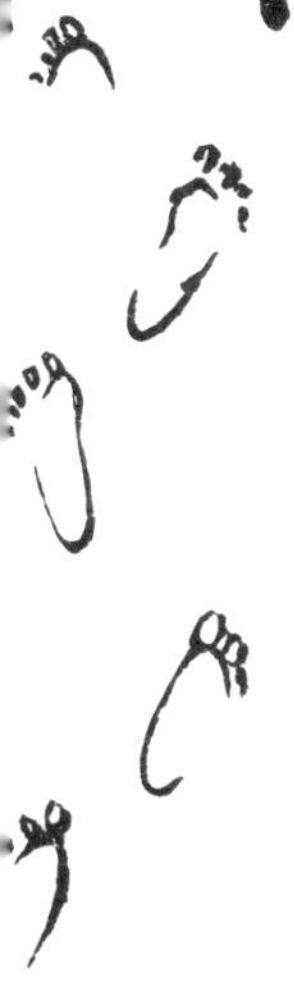

„Und ich bin der Kaiser von China!" spottete der Bademeister.

Da drehte sich der Plattfüßige um. „Ich lasse mich von Ihnen nicht beleidigen!" rief er. „Ich werde Ihr Schwimmbad nie mehr betreten!" Dann platschte er auf seinen riesigen Füßen davon.

Eines ist klar, sagte sich Konstantin oben auf dem Turm, ich darf mit den Leuten nur reden, wenn es unbedingt notwendig ist. Die Menschen sind sehr schreckhaft.

Konstantin dachte wieder nach. Wie konnte er Uschi und Philipp finden?

Aber es fiel ihm nichts ein.

Da beschloß der Kater, erst einmal ins Wasser zu gehen. Zum Baden war er ja hergekommen. Wahrscheinlich würde ihn dabei der Bademeister entdecken und hinauswerfen. Vielleicht aber bemerkten ihn auch die Kinder. Dann konnte er sich mit ihnen verabreden.

Und wenn sie mich nicht sehen, dachte Konstantin, werde ich eben auf der Straße auf sie warten. Dort trägt Uschi dann wieder ihr blaues Kleidchen, und Flip hat wieder Hemd und Hose an.

„Ja, so werde ich es machen", sagte Konstantin halblaut.

Dann lief er die Turmtreppe hinunter.

Ehe ihn einer der menschlichen Badegäste entdeckt hatte, war er schon mit einem Satz ins Wasser gesprungen.

„Da ist eine Katze!" hörte er ein Kind hinter sich rufen.

„Wo?" fragte ein anderes.

„Dort! Im Wasser!"

Konstantin schwamm natürlich nicht so elegant wie die Menschen. Er strampelte mit allen vier Beinen, so schnell er konnte. Damit hielt er sich recht gut über Wasser. Und es machte auch Spaß.

Es tat Konstantin leid, daß die Menschen so rasch auf ihn aufmerksam geworden waren. Nur noch wenige Augenblicke, dann würde der Bademeister kommen und ihn davonjagen.

Der Kater sah sich um. Die Leute rund um das Schwimmbecken waren wieder aufgestanden, und fast alle zeigten mit ihren Fingern auf ihn.

„Hat der Turmspringer vorhin nicht etwas von einer Katze gesagt?“ fragte eine Frau.

„Vielleicht war sie wirklich oben auf dem Turm“, meinte ein Mädchen.

Und da kam auch schon der Bademeister.

Eine hagere, ältere Dame stürzte auf ihn zu und kreischte: „Das Vieh muß sofort aus dem Wasser! Ich kann doch nicht in ein und demselben Wasser baden wie eine Katze!“

Aber ein paar Kinder baten: „Nein, die Katze soll im Wasser bleiben. Sie schwimmt so komisch.“

Das kränkte Konstantin ein bißchen. Er schwamm, wie eben Katzen schwimmen. Aber die Kinder wollten ihn in ihrem Wasser haben! Und das freute ihn wieder.

Der Bademeister aber fuhr die Kinder an: „Katzen haben hier nichts zu suchen. Es ist behördlich verboten, Tiere mit ins Bad zu bringen. Wem gehört die Katze?“

Er blickte sich um. Aber niemand meldete sich.

Da fragte er noch einmal, diesmal brüllte er: „Wem diese Katze gehört, will ich wissen!"

Die Menschen sahen einander an und zuckten die Achseln.

Da drängten sich zwei Kinder zwischen den Leuten durch, ein Junge und ein Mädchen.

„Uns gehört die Katze!" rief der Junge.

Und das Mädchen winkte dem Kater im Wasser zu: „Uuuh, Konstantin!"

Vor Freude hätte Konstantin beinahe zurückgerufen. Die beiden Kinder mußten Uschi und Philipp sein! Aber er nahm sich zusammen. Er durfte jetzt nicht in der Sprache der Menschen reden, sonst würde der Wirbel rund um das Becken noch größer.

„Sofort holt ihr die Katze aus dem Wasser!" befahl der Bademeister.

Uschi und Philipp wollten wirklich ins Wasser springen, aber ein paar andere Kinder hielten sie zurück.

„Nein!" riefen sie. „Die Katze soll im Wasser bleiben. Wir hatten noch nie eine Katze im Schwimmbad."

Da meldete sich wieder die hagere Dame: „Heraus mit dem Vieh! Eine Katze in unserem Badewasser, das ist unhygienisch!"

Unhygienisch, das war ein Wort, das Konstantin noch nicht kannte. Aber es mußte etwas Schreckliches

bedeuten, denn viele Erwachsene wiederholten das Wort: „Unhygienisch. Ja. Unhygienisch. Heraus mit der Katze!“

Diese Zustimmung freute die Dame. Sie schrie um so lauter: „Wenn die Katze nicht sofort davongejagt wird, beschwere ich mich beim Bürgermeister!“

„Hoho!“ rief da ein alter Herr. „Der Bürgermeister kümmert sich nicht um Katzen. Der hat Wichtigeres zu tun.“

Dieser alte Herr sah sehr lustig aus. Über seinem

freundlichen Gesicht wölbte sich eine spiegelblanke Glatze. Und die spindeldürren Arme und Beine paßten gar nicht zu seinem kugelrunden Bauch.

Mit seinen Worten hatte er die hagere Dame beleidigt: „Der Bürgermeister wird sich darum kümmern. Schließlich bin ich die Witwe des Regierungsrates Obergottsberger."

„Von uns aus können Sie auch die Witwe vom Herrn Unterteufelstaler sein!" rief da ein älterer Junge.

Da lachten und schrien und pfiffen die Kinder, und um ein Haar hätten sie die Regierungsratswitwe ins Wasser geworfen.

Das freilich verhinderte der Herr mit dem Kugelbauch. Er rief: „Kinder, seid doch vernünftig!"

Dann breitete er ein Handtuch über seine Glatze, um sie vor der Sonne zu schützen. Jetzt sah er noch viel lustiger aus. „Ich glaube nicht, daß es gesundheitsschädlich ist, wenn eine Katze ein einziges Mal hier badet", fuhr er fort. „Außerdem wird unser Badewasser ständig gereinigt. Unsere fleißige Stadtverwaltung hat erst vor einem Jahr eine neue Umwälzanlage einbauen lassen. Aber jeder soll das halten, wie er will. Wer ausnahmsweise einmal mit einer Katze baden will, der soll in dieses Becken hüpfen. Wer so etwas unhygienisch findet, für den ist ja noch das andere da. Wozu hat dieses Schwimmbad denn zwei Becken?"

Sprach's, wischte das Handtuch von der Glatze und sprang kopfüber in das Becken, in dem auch der Kater Konstantin schwamm.

„Wer ist denn dieser freche Kerl?" zeterte die hagere Dame. „Ich werde mich über ihn beim ..."

„... Bürgermeister beschweren", hatte sie sagen wollen, aber statt dessen stieß sie einen spitzen Schrei aus. „Du lieber Himmel", piepste sie, „dieser Kerl ... ich meine: dieser Herr, das ist ja der Herr Bürgermeister."

Da tauchte der kahle Kopf des Herrn wieder auf.

„Jawohl, Frau Regierungsratswitwe, Sie haben es erraten: Ich bin der Bürgermeister."

Die hagere Dame wurde knallrot im Gesicht, sie verbeugte sich und lispelte: „Entschuldigen Sie bitte, Herr Bürgermeister. Ich habe Sie in der Badehose nicht gleich erkannt. Bisher habe ich Sie nur immer vollständig bekleidet gesehen. Und ich konnte ja nicht wissen, daß Sie auch im Schwimmbad sind."

„Dachten Sie vielleicht, ich bleibe bei dieser Hitze im Rathaus sitzen?"

„Nein, nein", stammelte die Regierungsratswitwe.

„Na also", meinte der Bürgermeister. „Und ich will Ihnen auch sagen, warum ich mich jetzt nicht über Katzen ärgern möchte: Ich will nämlich schwimmen."

Der Herr Bürgermeister drehte sich auf den Rücken, und sein Bauch ragte als Halbkugel aus dem Wasser.

„Außerdem möchte ich mir die Sonne auf den Bauch scheinen lassen“, fügte er hinzu. „Ich kann das nämlich gleichzeitig: schwimmen und mir die Sonne auf den Bauch scheinen lassen. — Das können Sie sicher nicht, Frau Regierungsratswitwe.“

Die Leute rund um das Schwimmbecken lachten.

Die hagere Witwe Obergottsberger aber machte sich eilig davon.

Der Kater Konstantin hätte sich gern beim Herrn Bürgermeister bedankt. Doch er ließ es lieber bleiben. Er wußte ja, wie schreckhaft die Menschen sein konnten.

Uschi und Philipp sprangen nun auch ins Wasser. Und viele andere Kinder hüpften hinterdrein.

Es wurde noch ein vergnügter Nachmittag. Konstantin sprach zwar nicht mit den Kindern, aber er versuchte, richtig schwimmen zu lernen. Er sah nämlich, daß die Menschen viel rascher vorwärtskamen.

Die Kinder konnten sich nicht genug wundern. So eine kluge Katze hatten sie noch nie gesehen. In weniger als einer halben Stunde hatte Konstantin das Brustschwimmen erlernt und in einer weiteren halben Stunde auch das Kraulen. Seinen langen, buschigen Schwanz benutzte er dabei als Steuer. Und so schwamm er bald noch rascher als die Kinder.

Gegen Abend kamen neue Badegäste. Das waren Leute, die sich nach ihrer Arbeit noch ein wenig er-

frischen wollten. Manche beschwerten sich beim Bademeister über die Katze im Schwimmbecken.

Aber der Bademeister flüsterte immer nur: „Der Herr Bürgermeister hat es persönlich erlaubt.“

Die Sonne war schon halb hinter den Hügeln im Westen verschwunden, da machten sich Philipp und Uschi auf den Heimweg.

„Gehst du wieder zurück zu Herrn Fliederbusch?“ erkundigte sich Uschi auf der Straße.

„Nein“, lachte der Kater. „Zu dem gehe ich nie wieder.“

„Aber wohin willst du denn?“ fragte Philipp.

„Was soll das heißen?“ Konstantin blickte die Kinder verwundert an. „Ich bleibe natürlich bei euch. Wo denn sonst?“

„Fein“, sagte Uschi. Aber es klang gar nicht froh. „Weißt du, Konstantin, unsere Eltern ...“

„Wir müssen sie zuerst fragen“, meinte Philipp. „Du mußt das verstehen, Konstantin. Unsere Eltern haben noch nie einen sprechenden Kater gesehen ...“

„Natürlich nicht“, knurrte Konstantin. „Außer mir spricht ja keiner.“

„Wie ich unseren Vater kenne“, fuhr Philipp fort, „würde er bestimmt irgendwen anrufen und melden, daß sich in seiner Wohnung ein sprechender Kater herumtreibt.“

„Na und?“ fauchte Konstantin.

„Dann würden bestimmt ein paar Leute kommen und dich sehen wollen. Und wer weiß“ — Philipp erschrak —, „am Ende würden sie dich vielleicht in einen Tiergarten bringen.“

„Tiergarten“, wiederholte Konstantin. „Klingt nicht schlecht. Was ist das?“

„In einem Tiergarten“, begann Uschi, „müssen Tiere

in Käfigen wohnen und sich von den Leuten anstarren lassen."

„Was?" schrie Konstantin entsetzt. Sein Fell sträubte sich. „Euer Vater will mich einsperren lassen?"

„Nein, nein", versuchte Philipp den Kater zu beruhigen. „Ich habe nur gemeint, es könnte sein ..."

Konstantin blieb stehen.

„Zu Leuten, die mich einsperren wollen, gehe ich auf keinen Fall. Auf Wiedersehen, ihr beiden. Macht euch keine Sorgen um mich. Ich finde schon, was ich brauche. Ein Plätzchen zum Schlafen und ... etwas zum Essen. Ich kann mir ja ein paar Mäuse fangen. Wozu bin ich schließlich ein Kater?"

Auf einmal sah Konstantin richtig traurig aus.

„Dabei habe ich mich so darauf gefreut", seufzte er, „mit euch zu Abend zu essen."

„Bitte, bleib da!" sagte Uschi. „Wir finden bestimmt etwas für dich. Wir werden dich schon unterbringen."

„Pssst!" flüsterte Philipp auf einmal. „Konstantin, du darfst jetzt kein Wort reden!"

Der Kater wollte fragen, warum. Aber da sah er einen kleinen, dünnen Mann die Straße herunterschlendern. Er trug einen flaschengrünen Anzug, und auf seinem Kopf saß eine Schirmmütze. Sie war mit einem Abzeichen und einer goldenen Schnur geschmückt.

„Guten Tag, Herr Meier“, grüßten Uschi und Philipp, als der Flaschengrüne näher gekommen war.

Auch er grüßte, und dann meinte er: „Das ist aber eine schöne, große Katze.“

„Ja“, murmelten Uschi und Philipp. Sie waren froh, als der flaschengrüne Herr Meier weiterging.

„Komm, Konstantin!“ sagte Philipp.

Und Uschi beugte sich zum Kater hinunter und streichelte ihn. Da kam er mit.

Uschi und Philipp wohnten mit ihren Eltern im Haus Stifterstraße Nummer fünf. Gleich gegenüber von der Bäckerei Semmelweiß. Hinter dem Haus gab es einen kleinen Hof, und in diesem Hof stand — an eine Wand gelehnt — ein kleiner windschiefer Verschlag. Hier wurde Brennholz gelagert.

„Da kommt im Sommer kein Mensch hinein“, erklärte Philipp dem Kater Konstantin. „Wenn du willst, kannst du dableiben.“

Sie zeigten ihm den Verschlag.

„So ist das also“, maulte Konstantin. „Ihr beiden schlaft in euren weichen Betten, und mich legt ihr auf einen Stapel Brennholz.“

Aber Uschi versöhnte ihn rasch. Sie versprach ihm eine Decke und ein richtig feines Abendessen.

„Und wenn du uns nicht böse bist“, meinte Philipp, „dann nehmen wir dich morgen nachmittag mit in den Zirkus.“

Konstantin horchte auf.

„Zirkus? Das ist ein hübsches Wort. Was ist denn das, ein Zirkus?"

„Das wirst du morgen schon sehen", lachte Philipp. Und Uschi gab ihrem Bruder recht. „Ja, das soll eine Überraschung werden für Konstantin."

Plötzlich spitzte der Kater die Ohren und zog die Nase kraus.

„Gar so übel ist meine neue Unterkunft gar nicht", meinte er.

„Warum?" wollten die Kinder wissen.

Da lachte Konstantin und flüsterte: „Ich rieche Mäuse."

IMMER ÄRGER MIT DIESEN RADFAHRERN

Herr und Frau Steinmann, Uschis und Philipps Eltern, waren vielbeschäftigte Leute.

Darum hatten sie zu ihren Kindern nicht gesagt: „Wir wollen uns einen schönen Tag machen, wir gehen alle miteinander in den Zirkus."

Nein. Sie hatten gesagt: „Gestern ist ein Zirkus in die Stadt gekommen. Wir haben zwei Karten für euch besorgt. Für Freitag. Leider können wir nicht mitkommen, wir haben zuviel Arbeit. Geht allein hin. Ihr seid ja schon große Kinder."

Gestern vormittag waren Uschi und Philipp darüber noch traurig gewesen. Sie wären gerne zusammen mit ihren Eltern in den Zirkus gegangen. Aber da hatten sie ja noch nicht gewußt, daß sie am Nachmittag einen sprechenden Kater kennenlernen würden.

Heute — am Freitagmorgen — waren sie sogar froh, daß die Eltern nicht mitkamen. Denn so konnte der Kater Konstantin sie begleiten.

„Freilich", gab Uschi zu bedenken, „wir haben nur zwei Karten."

„Da müßt ihr euch etwas einfallen lassen", meinte Konstantin.

Aber Philipp sagte: „Ich denke schon seit gestern abend darüber nach. Bis jetzt ist mir noch nichts eingefallen."

„Da muß ich wohl mit meinem famosen Katzenhirn aushelfen, wie?"

Konstantin setzte sich auf die Hinterpfoten, legte den Schwanz um die Vorderpfoten und drückte fest die Augen zu: er dachte nach. Dann schrie er: „Eins, zwei, drei, ich hab's!"

Der Kater reckte sich in die Höhe.

„Wie bringt man eine Katze in einen Zirkus? He? — Ganz einfach. Man steckt sie in eine Tasche und trägt sie hinein."

„Ja!" rief Uschi begeistert.

„Das ist eine gute Idee." Das mußte auch Philipp zugeben.

„Ich habe nur gute Ideen." Konstantin schien recht eitel zu sein. „Aber jetzt sagt mir endlich, was das ist, ein Zirkus?"

„Das verraten wir dir nicht", sagte Philipp geheimnisvoll. „Laß dich nur überraschen."

Da gab sich Konstantin hochnäsig: „Etwas Besonderes wird es schon nicht sein. — Wann fängt so ein Zirkus denn an?"

„Um halb drei."

„Also noch ein halber Tag bis dahin. Was tun wir solange?"

Das wußte zunächst keiner. Die Sommerferien gingen zu Ende, da hatten die Kinder nicht mehr viele Ideen, was man unternehmen könnte.

„Ein bißchen stöbern vielleicht“, schlug Uschi endlich vor. „Oben auf dem Dachboden. Was meint ihr?“

Stöbern, das taten Uschi und Philipp besonders gern. Und weil sich auch Katzen gerne auf Dachböden herumtreiben, stiegen sie alle miteinander hinauf.

Hier gab es immer wieder Neues — eigentlich war es Altes — zu entdecken. In einer verstaubten Schachtel fanden sie vergilbte Bücher mit lustigen altmodischen Bildern. Auf dem Fußboden lag ein halb verrostetes Ofenrohr. Philipp hob es auf und blies hinein. Da stieg aus dem anderen Ende eine dichte Rußwolke. Eine Weile konnten die drei einander kaum sehen.

In einer Truhe entdeckte Uschi ihre alten Kleider. Sie wollte dem Kater eines davon anprobieren, aber Konstantin lehnte entrüstet ab.

„Eine Katze in Menschenkleidern, das ist lächerlich!“ fauchte er.

Philipp hatte inzwischen einen Karton voll alter Schulhelfte entdeckt. „Eduard Steinmann“ stand vorne drauf, also gehörten sie dem Vater.

Philipp blätterte ein bißchen, dann meinte er: „Ich hab’ mir’s ja immer schon gedacht.“

„Was?“ fragte Uschi.

„Daß Papa schwindelt. Er sagt doch immer, er hätte

viel besser gelernt. Ich schaue jetzt schon das zweite Heft durch, Einser habe ich aber nur wenige gefunden."

Uschi wollte sich auch ein Heft ansehen, aber da rief der Kater Konstantin vom anderen Ende des Dachbodens herüber: „Kommt einmal her! Ich habe etwas entdeckt."

Die Kinder liefen hinüber: Konstantin hatte ein winzigkleines Fahrrad gefunden.

„Das hat einmal mir gehört", Philipp freute sich. „Damit bin ich als ganz kleiner Bub gefahren. Ich war damals drei oder vier Jahre alt."

„Gefahren?" Konstantin schien noch nie ein Fahrrad gesehen zu haben.

„Ich zeig' dir's."

Philipp wischte den Staub vom Sattel und setzte sich drauf. Er wollte wegfahren, aber er stieß mit den Knien immer von unten gegen die Lenkstange.

„Ich bin wohl schon zu groß", meinte er und stieg wieder herunter.

„Das muß ich versuchen!" rief Konstantin begeistert.

„Warum nicht?" Philipp hatte nichts dagegen.

Aber Uschi fand: „Hier oben ist doch viel zuwenig Platz."

„Dann werden wir das Rad eben hinuntertragen in den Hof", schlug Philipp vor.

Und das taten sie auch.

Der Kater Konstantin war sehr aufgeregt. Darum fiel er, als er auf der einen Seite auf das Rad klettern wollte, auf der anderen Seite gleich wieder hinunter. Er landete in einer der Pfützen, die der Gewitterregen in der Nacht hinterlassen hatte. Konstantin brauchte eine ganze Weile, bis er sein Fell saubergeleckt hatte. Aber dann wollte er es wieder versuchen.

„Ich werde das Rad halten, und Uschi wird dir hinaufhelfen“, schlug Philipp vor.

Und so gelang es. Philipp erklärte dem Kater, wie er in die Pedale treten und wie er lenken mußte, und dann durfte es Konstantin versuchen.

Er trat viel zu heftig. Philipp konnte das Rad nicht mehr halten: Rad und Kater fielen um.

„Hast du dir weh getan?“ fragte Uschi besorgt.

Konstantin lachte nur: „Seit wann tut sich eine Katze weh, wenn sie fällt?“

Er wollte gleich noch einmal auf das Fahrrad klettern.

Philipp erklärte ihm aber zuerst alles noch einmal. Und dann klappte es. Zunächst lief Philipp noch mit und hielt das Rad, dann aber fuhr der Kater ganz allein. Runde um Runde drehte er auf dem Hof.

„Na?“ rief Konstantin den Kindern zu und reckte stolz seinen Kopf in die Höhe. „Was sagt ihr zu mir?“

„Du hast es viel schneller gelernt als ich“, mußte Philipp zugeben.

Konstantin machte noch ein paar Runden, dann schrie er übermütig: „Immer im Kreis fahren, das ist langweilig. Ich fahre hinaus auf die Straße. Wiedersehen! Ich komme bald wieder."

„Das ist viel zu gefährlich!" rief Uschi erschrocken.

Aber Konstantin kümmerte sich nicht darum. Er fuhr durch die Toreinfahrt hinaus.

Die Kinder liefen nach und beobachteten vom Gehsteig aus, was geschah.

Konstantin radelte die Straße hinunter.

Glücklicherweise war in der Stifterstraße wenig Verkehr. Und im Augenblick war überhaupt kein Mensch zu sehen.

Da bog aber aus der Johannesgasse ein Polizist ein. Er sah Konstantin daherradeln, stellte sich mitten auf die Fahrbahn und hob den rechten Arm.

Der Kater wußte natürlich nicht, was das bedeuten sollte. Er dachte bei sich: Vielleicht will mir dieser flaschengrüne Mann zuwinken.

Konstantin hätte gerne zurückgewunken. Aber er brauchte alle beide Pfoten, um die Lenkstange festzuhalten.

Immer näher kam er auf den Flaschengrünen zu.

Warum ging der nicht aus dem Weg? Er mußte doch sehen, daß Konstantin daherkam.

Wenn ich ganz nahe bin, wird er schon zur Seite springen, dachte der Kater.

Aber gleich darauf war es geschehen.

Er fuhr dem Flaschengrünen zwischen die Beine.

Das Rad kippte um. Der Mann wankte und fiel der Länge nach hin.

Mit einem Satz war Konstantin aus dem Sattel gehüpft. Das war sein Glück. Denn sonst wäre der Flaschengrüne auf ihn gefallen und hätte ihn vielleicht erdrückt.

Der Kater war als erster wieder in der Höhe.

„Flip hat nur gesagt, wie man fährt. Er hat vergessen, mir zu sagen, wie man stehenbleibt“, erklärte Konstantin und fügte hinzu: „Entschuldigen Sie bitte, Herr Meier.“

Der Flaschengrüne ächzte und stöhnte und erhob sich endlich.

„Ich heiße nicht Meier!“ knurrte er.

„Aber gewiß doch“, meinte Konstantin, „Uschi und Flip haben es gesagt.“

„Ich heiße nicht Meier!“ Der Flaschengrüne brüllte jetzt.

„Wirklich nicht?“ fragte Konstantin. Er war nun doch ein wenig unsicher.

„Nein!“

Der Kater schaute verwundert drein.

„So etwas!“ murmelte er. „Wie schnell sich die Menschen verändern. Als ich Sie gestern vor dem Schwimmbad sah, da waren Sie klein und schmal. Und

heute sind Sie auf einmal groß und dick. Gestern waren Sie glattrasiert, und heute tragen Sie einen Schnurrbart. Gestern hießen Sie Meier — und heute nicht mehr. Nur der flaschengrüne Anzug und die Kappe sind gleichgeblieben."

„Ich habe nie Meier geheißen! Seit vierzig Jahren heiße ich Müller."

„Das ist auch ein schöner Name", tröstete ihn Konstantin. Dann ging ihm auf einmal ein Licht auf: „Aha!

Wahrscheinlich gibt es noch so einen flaschengrünen Mann. Der heißt Meier, wie?"

Herr Müller rückte seine goldverzierte Kappe zurecht und polterte: „Wir sind keine flaschengrünen Männer, sondern Polizisten. Und es gibt nicht nur zwei, sondern hunderttausend — oder noch mehr."

„Hunderttausend?" Da staunte der Kater. „Warum denn so viele?"

„Damit Kerle wie du sie niederfahren können", schnauzte ihn der Polizist an.

Jetzt lachte der Kater aber: „Nein, das glaube ich nicht. Sie machen sich über mich lustig. Außerdem habe ich Sie ja nicht absichtlich niedergefahren."

„Absichtlich? Das wäre ja noch schöner!"

„Das glaube ich auch nicht. Unabsichtlich war es nicht schön, und absichtlich ist es bestimmt auch nicht schön."

„Sei still!" zischte da der Polizist. „Sprich, wenn du gefragt wirst. Das ist eine Amtshandlung, verstanden?"

„Amtshandlung", wiederholte der Kater. Schon wieder ein neues Wort. Er fragte arglos: „Amtshandlung, ist das so etwas Ähnliches wie Blumenhandlung?"

Da brüllte der Polizist: „Ruhe!" Der Schweiß trat ihm auf die Stirn. Er wies auf ein Verkehrszeichen an einer Hauswand. „Weißt du, was das bedeutet?"

Konstantin schüttelte den Kopf.

„Nein, keine Ahnung. Aber ich finde es sehr hübsch. Haben Sie es gemalt?"

„Blödsinn", knurrte der Polizist und zeigte auf ein anderes Verkehrszeichen. Es war ein bißchen weiter entfernt und auf einer hohen Stange befestigt. „Kennst du das?"

Wieder schüttelte der Kater den Kopf.

„Nein. Da will ich schon eher das erste. Das dort ist zwar auch hübsch, aber das erste gefällt mir besser."

Der Polizist blickte Konstantin scharf an.

„Du willst mich wohl auf den Arm nehmen, wie?"

Da schüttelte Konstantin zum drittenmal den Kopf.

„Wie könnte ich denn? Sie sind doch viel zu schwer. Stellen Sie sich das einmal vor: ein so großer und dicker Mann auf dem Arm eines Katers!"

„Wenn du mich zum Narren halten willst . . ."

Konstantin unterbrach den Flaschengrünen: „Nein, nein. Bestimmt nicht. Besonders gescheit sind Sie wahrscheinlich nicht. Aber deswegen halte ich Sie doch nicht gleich für einen Narren."

Der Polizist hatte inzwischen sein Notizbuch gezogen. Mit Hin- und Herreden kam er da nicht weiter. Das hatte er schon bemerkt.

„Name!" befahl er und machte sich zum Schreiben bereit.

„Konstantin“, antwortete der Kater höflich.

„Buchstabieren!“ forderte der Polizist.

Also buchstabierte Konstantin: „K wie Kohlkopf, O wie Ochse, N wie Nilpferd, S wie Sonnenstich, T wie Tagedieb, A wie Affe, N wie Nashorn, T wie Taugenichts, I wie Igel, N wie Nichtsnutz.“

Der Polizist hatte Buchstabe für Buchstabe in sein Buch gemalt.

„Weiter!“ drängte er jetzt.

„Was weiter? Mein Name ist schon aus.“

„Familienname!“

„Hab' ich nicht“, gestand Konstantin.

„Was soll das heißen?“ schrie der Polizist. „Jeder Mensch hat einen Familiennamen.“

„Aber, Herr Müller!“ rief Konstantin und begann zu lachen. „Ich bin doch kein Mensch. Ich bin eine Katze, genauer gesagt: ein Kater.“

„Ach so!“ brummte der Polizist. „Also keinen Familiennamen. Eine Katze braucht wahrscheinlich auch keinen Familiennamen. Weiter! Geboren, wann und wo?“

„Vorgestern. Oben auf dem Schloßberg. Aber ich wurde eigentlich nicht geboren, sondern erfunden. Herr Fliederbusch hat sich mich ausgedacht.“

Jetzt riß dem Polizisten aber die Geduld. Wenn er keine ordentlichen Antworten bekam, dann sollte man ihn kennenlernen!

„Na warte!“ schimpfte er. „Dich bekomme ich auch noch klein.“

Der Kater freute sich.

„Ausgezeichnet. Das wäre mir sehr angenehm. Für eine Katze bin ich ohnehin lächerlich groß geraten.“

Der Polizist Müller kochte vor Wut.

„Mund halten!“ schrie er, weil ihm sonst nichts mehr einfiel.

Sofort griff Konstantin mit beiden Pfoten nach seinem Mund.

Aber dann ließ er die Pfoten wieder sinken und fragte: „Warum soll ich meinen Mund halten? Er fällt ja nicht herunter. Er ist doch angewachsen.“

Der Polizist wurde abwechselnd blaß und rot.

„Ein Wort noch“, zischte er drohend, „und ich mache dich zur Schnecke!“

Der Kater Konstantin wollte den Flaschengrünen nicht weiter reizen, aber jetzt mußte er einfach lachen: „Da übertreiben Sie aber, Herr Müller. Ich wette ein

Dutzend Mäuse gegen Ihre schöne Kappe, daß Sie aus einer Katze keine Schnecke machen können."

„Verschwinde!" Der Polizist war kreidebleich geworden. „Verschwinde! Verschwinde! Verschwinde!" Er war mit seinen Nerven am Ende.

„Wie Sie wünschen, Herr Müller", sagte der Kater Konstantin artig und schwang sich in den Fahrradsattel. „Aber eines muß ich Ihnen noch sagen: Sehr höflich sind Sie nicht!"

Dann trat er in die Pedale und radelte zu Uschi und Philipp zurück.

„Und laß dich nicht noch einmal erwischen!" schrie der Polizist ihm nach. „Sonst kannst du etwas erleben!"

Da kam ein Herr des Wegs. Den Kater konnte er nicht mehr sehen, der war mit den beiden Kindern schon in der Toreinfahrt verschwunden. Aber den Polizisten sah der Herr auf der Straße stehen, und er hörte ihn schimpfen.

„Mit wem sprechen Sie denn?" fragte der Herr.

„Ach", meinte der Polizist, „immer Ärger mit diesen Radfahrern. Kommt einer daher und fährt mir direkt zwischen die Beine."

„Wer denn?" fragte der Herr, „ein Kind?"

„Aber nein", sagte der Polizist, „ein Kater."

„Ein Kater?" Der Herr traute seinen Ohren nicht. Dann aber lachte er. „Was haben Sie denn mit dem Kater gemacht?"

„Ich habe mir seinen Namen notiert.“ Der Polizist hielt dem Herrn sein Notizbuch hin. „Da! Er heißt Konstantin.“

Der Herr hielt das für einen Scherz. Darum fragte er schmunzelnd: „Und Sie haben diesen radfahrenden Kater ganz so wie einen Menschen behandelt, was?“

„Wie einen Verkehrsteilnehmer“, verbesserte der Polizist. „Wer auf einem Rad fährt, ist ein Radfahrer — also ein Verkehrsteilnehmer. Und wir dürfen keinen Unterschied machen. Wir behandeln einen Verkehrsteilnehmer genauso wie den anderen. ‚Ohne Ansehung der Person‘ heißt es.“

Jetzt wurde der fremde Herr aber doch mißtrauisch. Meinte der Polizist das etwa im Ernst?

„Sie haben den Kater also nach seinem Namen gefragt, und er hat geantwortet: Konstantin.“

„Genauso war es“, bestätigte der Polizist. Er freute sich, daß der fremde Herr ihn endlich verstand, und sagte lachend: „Glücklicherweise konnte das Vieh sprechen. Sonst wäre es ziemlich schwierig gewesen, den Namen festzustellen.“

Da wurde der Herr aber zornig: „Mir scheint, Sie sind schon am hellen Vormittag betrunken! Und so etwas will ein Polizist sein!“

Schimpfend ging der Herr davon.

KONSTANTIN UND SEINE GROSSEN VERWANDTEN

Uschi und Philipp zeigten ihre Eintrittskarten her. Ein Mann in einer roten, goldverschnürten Uniform riß die Abschnitte weg. Er schaute mißtrauisch auf die große Reisetasche, die Uschi und Philipp gemeinsam trugen.

„Was habt ihr da drin?"

„Ach, nichts Besonderes", sagte Philipp schnell. „Nur unsere Regenmäntel. Es könnte ja wieder ein Gewitter kommen, nicht? Und ein paar Brote sind auch drin. Falls wir Hunger bekommen."

„Aha", sagte der Mann in der roten Uniform. Dann durften Uschi und Philipp das Zirkuszelt betreten.

Philipp hatte natürlich geschwindelt. In der Tasche waren keine Regenmäntel und auch keine Brote. In der Tasche saß der Kater Konstantin.

Er war sehr schlecht gelaunt. Nun saß er schon fast seit einer halben Stunde in der Tasche. Er sah nichts, hörte nicht viel, und riechen konnte er nur das Leder der Tasche.

Endlich befreiten Uschi und Philipp den Kater aus seinem Gefängnis.

Er durfte sich auf Uschis Knie setzen.

„Nie mehr komme ich mit in so einen Zirkus!“ schimpfte Konstantin leise vor sich hin. „Ich wäre beinahe erstickt in der Tasche.“

„Warte ab“, meinte Uschi. „Vielleicht gefällt es dir doch noch recht gut.“

Durch das Zeltdach sickerte trübes Licht. Es war drückend heiß. Die Zuschauer rutschten auf ihren schmalen Holzbänken hin und her. Man wartete und wurde langsam ungeduldig.

Konstantin hob den Kopf. Die stickige Luft war voll sonderbarer Gerüche. Der Kater schnupperte.

„Ich rieche Tiere. Eine ganze Menge Tiere. — Augenblick! Das ist ein Pferd. Nein, das sind viele Pferde!“ Er wendete den Kopf. „Und das — in dieser Richtung — sind Bären, glaube ich.“ Er schnupperte weiter. „Jetzt rieche ich . . . Hm, diesen Geruch kenne ich gar nicht. Aber soviel ich rieche, sind es sehr große und dicke Tiere.“

„Vielleicht die Elefanten“, meinte Uschi.

Konstantin sog die Luft tief ein: „Und das . . .“, plötzlich war er sehr aufgeregt, „das sind Löwen! Wartet einen Augenblick auf mich. Ich muß ihnen nur schnell guten Tag sagen.“

Er wollte aufspringen und sich davonmachen, aber Philipp hielt ihn zurück: „Bleib da, Konstantin! Es darf dich doch niemand sehen.“

„Aber Löwen sind doch Verwandte von mir", maulte der Kater. „Nicht einmal seine Verwandten darf man besuchen."

Da wurde die Manege endlich mit starken Scheinwerfern hell ausgeleuchtet.

Ein Mann in einem dunkelroten Anzug trat auf. Er begrüßte die Zuschauer und wünschte ihnen eine gute Unterhaltung.

„Als erste Nummer im Programm präsentieren wir Ihnen gleich einen Höhepunkt!" rief der Mann: „Herrn Direktor Carlo Rossano mit seinen feurigen Araberhengsten."

Gleich darauf begann eine Musikkapelle zu spielen, und schwarze Pferde liefen in die Manege. Sie waren fein herausgeputzt, mit weißen Federbüschen auf den Köpfen und weißem Zaumzeug.

„Hi, hi, hi", kicherte der Kater Konstantin. „Sind das Pferde oder Vögel? Ich habe noch nie ein Pferd mit Federn auf dem Kopf gesehen."

Zwischen die Pferde trat jetzt ein dicker Mann, Direktor Rossano. Er knallte mit einer langen Peitsche. Da setzten sich die Pferde in Bewegung. Sie liefen hintereinander. Immer im Kreis herum.

„So etwas Blödes!" schimpfte Konstantin. „Pferde laufen wild durcheinander. Hintereinander laufen nur Gänse. Und Pferde sind doch keine Gänse!"

Und so ging es weiter. An allem, was die Pferde

unten in der Manege zeigten, hatte Konstantin etwas auszusetzen. Vielleicht deshalb, weil er immer noch schlecht gelaunt war.

Nach den Pferden kam der dumme August. Er stellte sich sehr ungeschickt an und stolperte immer wieder über seine eigenen Füße. Und darüber lachten die Leute.

„Ich möchte bloß wissen, was es dabei zu lachen gibt, wenn jemand auf die Nase fällt“, wunderte sich Konstantin.

Dann traten Trapezkünstler auf. Sie kletterten hinauf in die Zirkuskuppel und sprangen dort herum.

„Wie die Affen!“ fand Konstantin. „Wozu machen Menschen Affen nach?“

Aber der Kater erhielt keine Antwort auf seine Fragen. Philipp zischte nur, er sollte doch endlich ruhig sein und zusehen.

Nach den Trapezkünstlern kamen richtige Affen. Es waren Schimpansen. Man hatte ihnen Menschenkleider angezogen, und sie benahmen sich auch wie Menschen. Den Zuschauern gefiel das.

Konstantin aber war nun vollends verwirrt.

„Jetzt verstehe ich gar nichts mehr! Die Menschen führen sich wie Affen auf. Und die Affen tun, als wären sie Menschen. Was hat denn das für einen Sinn?“

Dann schleppten Zirkusarbeiter sieben große Hocker

und manches andere seltsame Gerät daher. Und die Manege zäunten sie mit Gitterwänden ein.

Der Mann im dunkelroten Anzug verkündete: „Und nun, meine Damen und Herren, ein weiterer Höhepunkt: die Könige der Wüste! Sieben gewaltige Löwen in einer atemberaubenden Dressur des weltbekannten Dompteurs Johann Johannson!"

Gleich darauf trat ein großer, breiter Mann durch eine Gittertür in den Käfig. Er hatte einen schwarzglänzenden Anzug an und trug einen langen Stock und eine schwere Peitsche in den Händen. Die Leute klatschten, und der Mann verbeugte sich.

Da ließ man die Löwen in den Käfig.

Hintereinander mußten sie durch einen vergitterten Laufgang kriechen. Dann knallte der Dompteur mehrmals mit seiner Peitsche, und bei jedem Knall mußte ein Löwe auf einen der Hocker springen.

Das Publikum applaudierte. Aber Konstantin war außer sich vor Zorn.

„Sollen sich etwa auch die Löwen so albern aufführen?" schrie er.

Uschi kraulte den Kater ein bißchen und flüsterte: „Sei doch endlich ruhig."

Der schwarzglänzende Dompteur hob seinen Stock hoch in die Luft und knallte ein paarmal ohrenbetäubend mit der schweren Peitsche. Da richteten sich die Löwen auf und machten Männchen.

Alle — bis auf einen. Der wollte nicht.

Da trat der Schwarzglänzende zu ihm, stieß ihm den Stock vor die Brust und knallte noch einmal mit der Peitsche.

Der Löwe fletschte die Zähne.

Der Dompteur aber schlug ihm mit dem Stock eins über den Schädel, schrie ihn an und schwang drohend die Peitsche.

Da machte auch der siebente Löwe sein Männchen, und die Leute klatschten.

„Das sehe ich mir nicht länger mit an!" Konstantins Stimme überschlug sich vor Wut.

Er sprang von Uschis Knie und die Stiegen hinunter zur Manege.

Mit einem Satz hüpfte er aufs Gitter. Er klammerte sich fest und miaute einem Löwen etwas zu. Es war der, der vorhin nicht Männchen hatte machen wollen.

Der Löwe drehte sich um, sah den Kater auf dem Gitter und antwortete in der Löwensprache.

Ein paar Kinder, die ganz vorne saßen, entdeckten die Katze auf dem Gitter zuerst. Sie jubelten vor Vergnügen. Sie glaubten nämlich, sie gehörte zur Raubtiernummer.

Konstantin redete — in der Katzensprache — eine ganze Weile auf den Löwen ein. Da kam der Dompteur ans Gitter und wollte den Löwen wieder zwingen, Männchen zu machen.

Der Schwarzglänzende bemerkte erst jetzt die Katze.

„Verschwinde, du Biest!"

Er wollte Konstantin mit seinem Stock vom Gitter herunterstoßen. Aber der Löwe schlug ihm mit einem kräftigen Prankenhieb den Stock aus der Hand.

Dann schüttelte das riesige Tier seine Mähne, sprang von seinem Hocker, lief in die Mitte der Manege und brüllte. Die anderen sechs Löwen brüllten auch: sie antworteten. Sie knurrten, brüllten und fauchten. Es sah aus, als beratschlagten sie.

Der Schwarzglänzende knallte wütend mit der Peitsche, aber die Löwen ließen sich nicht aus der Ruhe bringen. Der Dompteur wußte nicht, was mit seinen Tieren plötzlich los war. Aber er ahnte, daß es mit der schwarzen Katze zusammenhing.

Er hob die Peitsche und zielte sorgfältig. Er hatte viel Übung im Peitschenschlagen und hoffte, die Katze sogar zwischen den Gitterstäben zu treffen. Er schlug zu. Aber Konstantin mußte nur ein klein wenig zur Seite springen, und der Schlag ging ins Leere.

Das Publikum tobte vor Begeisterung. Dressierte Raubtiere konnte man in jedem Zirkus sehen. Hier spielte aber von außen noch eine Katze mit. Das war neu.

Die Leute glaubten immer noch, Konstantin gehörte zur Zirkusnummer.

Der Dompteur schlug mit seiner Peitsche immer wieder nach dem Kater. Aber jedesmal konnte Konstantin rasch ein paar Gitterstäbe weiter springen. Das war gar nicht so schwierig, denn je wütender der Schwarzglänzende wurde, um so schlechter zielte er.

Es war ein ohrenbetäubender Lärm im Zirkuszelt.

Die Leute lachten, klatschten und schrien vor Begeisterung. In der Manege beratschlagten die Löwen. Sie brüllten immer wilder, so daß dem Schwarzbekleideten beinahe Hören und Sehen verging.

Und zu all dem Getöse spielte die Musikkapelle unverdrossen weiter.

Dieser schreckliche Lärm lockte den Zirkusdirektor Carlo Rossano zurück ins Zelt. Als er bemerkte, was hier vor sich ging, raufte er sich die Haare und weinte beinahe.

„Mamma mia! Vorstellung kaputt!" jammerte er immer wieder. Aber natürlich hörte das bei diesem Lärm niemand.

Endlich hatten die Löwen ihre Beratung beendet. Sie hörten auf zu brüllen.

Mit einem Schlag verstummte auch das Publikum.

Und weil dem Kapellmeister nichts Besseres einfiel, gab er das Zeichen zum Aufhören, und die Musiker legten ihre Instrumente weg.

Mäuschenstill war es auf einmal in dem großen Zelt.

Der Löwe, mit dem Konstantin gesprochen hatte, trottete ans Gitter. Er brüllte dem Kater etwas zu.

Konstantin erschrak, das konnte jedermann sehen.

Was mochte der Löwe ihm gesagt haben?

Das große fahlgelbe Raubtier und sein viel kleinerer schwarzer Vetter sprachen noch eine Weile miteinander, aber Konstantin schien immer trauriger zu werden. Und dann hing er stumm an den Gitterstäben und starrte vor sich hin.

Diesen Augenblick wollte der Dompteur nützen. Er hob die Peitsche.

Aber da schrie der Kater ihn an — in der Menschensprache: „Verschwinde, du schwarzlackierter Affe! Sonst kratze ich dir die Augen aus."

Dem Dompteur fiel vor Schreck die Peitsche aus der Hand.

Jeder Zuschauer — auch im letzten Winkel des Zeltes — hatte es gehört: Die schwarze Katze hatte gesprochen, richtig gesprochen wie ein Mensch.

Der dicke Direktor Rossano war gleich beim ersten Wort Konstantins in Ohnmacht gefallen. Aber nur für wenige Augenblicke.

„Mamma mia!" stöhnte er, als er wieder zu sich kam. „Eine sprrechende Katze! Sensation! Grrrößte Zirrrkussensation von ganzerrr Welt! Sensation von Jahrrrhunderrrt!"

Man hörte den Zirkusdirektor aber nicht, denn: das Publikum spendete den Worten Konstantins tosenden Beifall. Es glaubte immer noch, das alles gehörte zur Nummer. Eine Raubtiernummer — und dazu noch eine sprechende Katze, das war eine Sensation!

„Sensation!" dieses Wort wiederholte auch der Zirkusdirektor immer wieder.

Erst nach und nach beruhigte sich das Publikum. Es war gespannt, was dieser Zirkus noch zu bieten hatte.

Da hatte sich der Direktor wieder gefaßt. Er befahl den Stallburschen und den anderen Zirkusarbeitern: „Katze soforrrt einfangen. Grrrößte Sensation von ganzerrr Welt! Einfangen! Soforrrt!“

Die Männer gehorchten. Sie besetzten alle Ausgänge und zogen einen Kreis um die Manege.

Konstantin saß in der Falle. Ein paar Minuten noch, dann würde man ihn auch in einen Käfig sperren.

Den Männern, die auf ihn zukamen, wäre Konstantin schon entkommen. Aber was half das? Alle Ausgänge waren besetzt. Irgendwann würden sie ihn ja doch fangen.

Konstantin übersetzte den Löwen die Worte des Zirkusdirektors. Da brüllten die Raubtiere, und das mochte heißen: „Nur keine Angst.“

Gleich darauf sprang einer der Löwen den Schwarzglänzenden an und warf ihn nieder. Er setzte die Vordertatzen auf die Brust des Mannes und brüllte Konstantin etwas zu.

Da rief der Kater: „Ich soll euch von meinem Freund, dem Löwen Sultan, bestellen: Er frißt diesen schwarzen Kerl mit Haut und Haaren auf, wenn ihr mir nicht sofort den Weg freigebt."

Da war es wieder mäuschenstill.

Konstantin lachte auf einmal: „Na, warum nicht gleich? Auf Wiedersehen, Herrschaften!"

Er sprang vom Gitter. Auf allen vieren trippelte er auf den Ausgang zu. Niemand wagte es, ihn zu fangen. Und dann war er auch schon draußen.

„Hunderrrttausend Schilling für den, derrr mirrr

Katze brrringt zurrrück!“ schrie der Zirkusdirektor.

Gleich darauf brach im Zirkuszelt ein Wirbel los. Da fiel es niemandem auf, daß auch zwei Kinder mit einer Tasche das Zelt verließen.

Uschi, Philipp und Konstantin beeilten sich, nach Hause zu kommen. Sie mußten ja fürchten, daß der Zirkusdirektor sie verfolgen ließ.

Sie versteckten sich in dem Holzverschlag auf dem Hof. Dort konnte Konstantin den Kindern erzählen, was er mit den Löwen besprochen hatte:

„Ich habe ihnen klargemacht, daß es eine richtige Schande ist, was sie tun. Eine Schande für unsere ganze Katzenfamilie. Gerade die größten Katzen benehmen sich am dümmsten! — Versteht ihr: Ein Löwe, der in der Steppe eine Gazelle oder einen Wasserbüffel jagt, das ist ein Löwe. Aber ein Löwe, der Männchen macht, das ist eine Schande, das ist ganz und gar lächerlich!“

„Aber warum denn?“ meinten die Kinder. „Uns gefällt das. Und den anderen Leuten auch.“

„So?“ fauchte der Kater. „Und wie würde es euch gefallen, wenn man euch in einen Käfig sperrte, und ihr müßtet Männchen machen? Und rundherum säßen Löwen und sähen zu!“

Uschi und Philipp nickten. Jetzt verstanden sie den Kater.

„Aber was sollen die Löwen denn tun?“ fragte Uschi dann.

„Nichts! Gar nichts sollen sie tun. Ich habe ihnen geraten, sie sollten sich einfach in den Manegensand legen und dem Schwarzglänzenden nicht mehr gehorchen. Sie haben meinen Vorschlag dann beraten. Aber sie konnten ihn nicht annehmen. Sie wären nun einmal gefangen, erklärte mir der Löwe Sultan. Mit Männchen-Machen und Durch-den-Feuerreifen-Springen verdienten sie ihr tägliches Fleisch. Wenn sie nicht gehorchten, müßten sie verhungern."

Philipp nickte verlegen, dann ging er noch einmal hinaus auf die Straße.

Der Kater Konstantin sprang auf Uschis Knie und ließ sich streicheln. Uschi mußte ihn trösten, denn die Löwen hatten ihn traurig gemacht. Er schämte sich für sie, und gleichzeitig taten sie ihm leid.

Bald kam Philipp zurück.

„Gerade sind zwei Leute vom Zirkus draußen vorbeigelaufen", berichtete er. „Sie suchen wahrscheinlich die Stadt nach dir ab."

Konstantin zuckte zusammen.

„Diese Dummköpfe werden jeden schwarzen Kater, den sie finden, in den Zirkus schleppen", sagte er ärgerlich.

„Solange der Zirkus in der Stadt ist, kannst du nicht auf die Straße", bestätigte Philipp.

„Und wie lange bleibt er?"

„Morgen noch und übermorgen."

„Na also!“ Konstantin atmete auf. „Wir drei werden diese beiden Tage eben hier verbringen, was?“

„Du, Konstantin ...“, begann Uschi verlegen und streichelte den Kater. „Ich fürchte: morgen und übermorgen kannst du nicht mit uns rechnen. Morgen ist Samstag und übermorgen Sonntag. Da sind unsere Eltern zu Hause. Und weißt du, Konstantin, übers Wochenende wollen unsere Eltern immer mit uns wegfahren, ’raus aus der Stadt ...“

„Um so besser!“ freute sich Konstantin. „Ich fahre mit. Und wenn wir wieder nach Hause kommen, ist der Zirkus schon weg. Alles in bester Ordnung.“

„Ich glaube nicht, daß wir dich mitnehmen können“, sagte Uschi leise.

„Und warum nicht? Bin ich etwa nicht mehr euer Freund?“

„Schon“, versicherte Philipp. „Aber bestimmt haben unsere Eltern schon von dir gehört. So ein Zwischenfall wie vorhin im Zirkus spricht sich schnell herum in so einer kleinen Stadt.“

Konstantin sprang von Uschis Knien herunter und stellte sich auf die Hinterbeine.

„So ist das also. Eure Eltern würden mich wohl in den Zirkus bringen, he? Und dann die hunderttausend Schilling kassieren, was? — Schämen würde ich mich für solche Eltern!“

„So etwas darfst du nicht sagen!“ meinte Uschi.

Und Philipp wollte den Kater beruhigen: „Es wird uns schon etwas einfallen."

„Euch?" fragte Konstantin hochnäsig. Doch dann beruhigte er sich wieder und fragte: „Was bekomme ich, wenn ich mir diese Mühe für euch mache?"

„Dann streichle ich dich eine halbe Stunde lang", versprach Uschi.

„Nun gut", meinte Konstantin. „Muß ich mein famoses Katzenhirn eben wieder einmal für euch anstrengen."

Er setzte sich auf seine Hinterpfoten, legte sorgsam den Schwanz um die Vorderpfoten und drückte fest die Augen zu. Gleich darauf rief er: „Eins, zwei, drei, ich hab's! — Was ist, wenn eure Eltern morgen und übermorgen so müde sind, daß sie den ganzen Tag nur schlafen wollen?"

„Das wäre fein!" rief Uschi. „Dann könnten Flip und ich das ganze Wochenende über bei dir sein."

Aber Philipp war enttäuscht von Konstantins Einfall.

„Unsere Eltern sind nicht so müde", sagte er.

„Wer die ganze Woche arbeitet, ist am Wochenende müde", bemerkte Konstantin naseweis.

„Aber sie schlafen in der Nacht, da ruhen sie sich aus", entgegnete Philipp.

Darauf antwortete der Kater nicht, sondern lächelte nur geheimnisvoll.

„Was hast du vor?" drängte Uschi.

„Verrate ich nicht", sagte der Kater schnippisch. „Nur eins: stopft euch heute abend soviel Watte in die Ohren wie möglich."

Dann sprang Konstantin mit einem Satz auf Uschis Knie und rief:

„Eine halbe Stunde streicheln, bitte."

EINE NACHT — GERADE RICHTIG FÜR EIN KONZERT

Es war eine wunderbare Sommernacht. Der Mond hing wie ein großer Kinderballon am Himmel. Über den Hügeln am Horizont standen kleine milchweiße Federwölkchen. Es war nicht mehr heiß und noch nicht kalt, gerade richtig angenehm.

Der Kater Konstantin saß auf dem Dachfirst des Hauses Stifterstraße Nummer fünf. Er horchte hinein in die Nacht. Allmählich wurde es ruhig in der Stadt.

Die Straßenbeleuchtung brannte. Als leuchtende Perlen waren die Laternen an den Straßen aufgefädelt. Diese doppelreihigen Lichtschnüre durchzogen kreuz und quer die Stadt. Eine führte auch hinauf zum Schloßberg.

Oben auf der Kuppe glommen winzige Lichtpunkte: die Häuser auf der Waldlichtung. Bei einem dieser Lichter saß jetzt wohl Herr Fliederbusch. Und vielleicht dachte er an den Kater Konstantin, der ihm davongelaufen war.

Die Fenster unten in der Stadt waren kleine leuchtende Vierecke. Gruppenweise oder in Reihen geordnet standen sie in der Dunkelheit. Aber bald verschwand ein Fensterviereck nach dem anderen in der Nacht.

Je dunkler die Stadt wurde, um so heller leuchtete der Himmel. Es war, als würden für jede ausgelöschte Lampe oben am Himmel hundert Sterne angeknipst.

Das ist eine Nacht — gerade richtig für ein Katzenkonzert, dachte Konstantin. Er übte schon ein bißchen.

Ganz leise stieß er ein langgezogenes „Miiaaaaauu!" aus. Dann versuchte er ein klagendes „Rrrrraaaauuu!" und zuletzt sein „Weeeeeeeeeaauu!", das auch den tiefsten Schläfer auffahren ließ, wenn Konstantin es in voller Lautstärke sang.

Aber vorläufig sang er noch ganz leise, er übte nur.

Nach einer halben Stunde beendete er seine Probe. Er war so zufrieden mit sich, daß er sich selber lobte: „Lieber Konstantin, kein Kater auf der ganzen Welt singt so schrecklich schön wie du!"

Ein Weilchen wartete er noch, dann schlich er hinunter vom Dach.

Zur Wohnung der Familie Steinmann gehörte auch ein Balkon mit vielen Blumenkästen. Man konnte ihn vom Elternschlafzimmer und von den Zimmern der beiden Kinder aus erreichen.

Auf diesen Balkon sprang Konstantin.

Die Balkontüren standen weit offen — es war ja eine laue Sommernacht.

Aus dem Zimmer der Eltern hörte Konstantin

rasselnde und sägende Geräusche: Herr Steinmann schnarchte.

Aber nicht mehr lange! dachte Konstantin — und fing an zu singen.

Das Rasseln und Sägen verstummte. Eine Männerstimme murrte: „Was ist denn das für ein scheußlicher Lärm?“

Da meldete sich eine Frauenstimme: „Ich bin gerade erst eingeschlafen . . . Das muß eine Katze sein.“

Dann die Männerstimme: „Ich gehe einmal nachsehen.“

Und die Frauenstimme: „Jag das Vieh davon! Ich möchte schlafen!“

Konstantin sang noch einmal sein „Weeeeaauu!“, dann versteckte er sich hinter den Geranien in den Blumenkästen.

Herr Steinmann stolperte schlaftrunken auf den Balkon. Er rieb sich die Augen.

Beinahe hätte sich Konstantin jetzt verraten. Der Geruch der Geranien kitzelte in seiner Nase. Der Kater hielt die Luft an, damit er nicht niesen mußte.

Herr Steinmann blickte sich um, dann ging er wieder zurück ins Zimmer.

„Nichts zu sehen“, sagte er. „Wahrscheinlich ist die Katze schon wieder weg.“

Konstantin wartete auf das Rasseln und Sägen. Dann fing er wieder an zu singen.

Jetzt kam Frau Steinmann auf den Balkon, aber auch sie entdeckte nichts. Konstantin hockte gut versteckt in den Blumenkästen.

„Das kann ja eine lustige Nacht werden", murmelte Frau Steinmann und ging ins Bett zurück.

Wieder wartete Konstantin auf das Schnarchen, dann stimmte er seinen Gesang zum drittenmal an.

Diesmal knurrte Herr Steinmann: „Ich stehe nicht mehr auf. Dieses Biest wird schon von selber wieder aufhören."

Aber Konstantin hörte erst auf, als Herr Steinmann endlich doch herauskam. Entdecken konnte er den Kater freilich wieder nicht.

So trieb es Konstantin noch einige Male. Sobald Herr und Frau Steinmann eingeschlafen waren, begann er sein schauerliches Konzert und sang so lange, bis jemand aus dem Bett stieg, um nachzusehen.

Dann aber wurde Herr Steinmann zornig: „Wenn ich dieses Vieh erwische, drehe ich ihm den Hals um!"

Frau Steinmann aber meinte: „Mach lieber die Balkontür zu, da hören wir es nicht so laut."

Das tat Herr Steinmann. Und er zog auch die Vorhänge zu.

Der Kater Konstantin hatte freilich mit diesem Fall gerechnet. Er schlich durch Uschis Zimmer in die Wohnung und legte sich vor dem Elternschlafzimmer auf die Lauer. Als er Herrn Steinmann wieder

schnarchen hörte, öffnete er leise die Tür und schlich hinein.

Es war stockdunkel im Zimmer. Nicht der kleinste Mondstrahl fiel herein, so fest hatte Herr Steinmann die Vorhänge geschlossen. Aber Konstantin mit seinen Katzenaugen fand sich auch in der Dunkelheit zurecht.

Er schlich an das Kopfende des Bettes und tippte

der Frau Steinmann mit der rechten Vorderpfote auf die Nase.

Frau Steinmann schlug die Augen auf. Sie konnte Konstantin nicht sehen. Ein schwarzer Kater in einem stockfinsteren Zimmer ist so gut wie unsichtbar. Aber sie sah seine Augen: zwei große gelbgrüne Katzenaugen.

Vor Schreck schrie Frau Steinmann laut auf. So laut, daß Herr Steinmann auf der anderen Seite — ebenfalls vor Schreck — aus dem Bett fiel.

Mühsam erhob er sich und schimpfte: „Was ist denn? Nicht genug, daß eine Katze vor unserem Fenster musiziert? Mußt du auch noch Krach schlagen?"

„Eduard!" rief Frau Steinmann ganz verwirrt. „Eduard! Da sind zwei Augen im Zimmer!"

Herr Eduard Steinmann blickte sich um — und sah nichts. Gar nichts, schon gar keine Augen. Er konnte sie auch nicht sehen, denn Konstantin hatte seine Augen geschlossen.

Herr Steinmann kroch wieder in sein Bett und meinte: „Du hast geträumt. Schlaf weiter."

„Ja", gab Frau Steinmann zu, „so wird es wohl sein. Jetzt sehe ich die Augen auch nicht mehr."

Konstantin hielt seine Augen geschlossen, bis er Frau Steinmann wieder ganz ruhig atmen und ihren Mann schnarchen hörte.

Dann öffnete er die Augen und schlich auf die andere Seite des Ehebetts: zu Herrn Steinmann.

Er biß ihn in die Nase; nicht so arg, daß es wirklich weh getan hätte, aber doch so fest, daß Herr Steinmann davon erwachte.

„Was fällt dir ein?“ schrie er seine Frau an und weckte sie damit auf. „Du kannst mich doch nicht in die Nase beißen!“

„Ich habe dich noch nie in die Nase gebissen!“ stellte Frau Steinmann schlaftrunken fest. „Schon gar nicht mitten in der Nacht.“

„Dann muß diesmal wohl ich geträumt haben. Schlaf weiter.“ Herr Steinmann drehte sich auf die andere Seite.

Als beide wieder eingeschlafen waren, zog Konstantin ihnen sanft ihre Bettdecken weg und warf sie in eine Ecke.

Herr und Frau Steinmann tasteten nach ihren Decken. Das sah sehr lustig aus. Die beiden schliefen nämlich, nur ihre tastenden Hände schienen wach zu sein.

Zuerst schlug Frau Steinmann die Augen auf.

„Gib sofort meine Decke her!“ fuhr sie ihren Mann an.

Ihr Mann aber schrie: „Was soll das heißen? D u hast m e i n e Decke weggenommen.“

„Ich habe keine Decke.“

„Ich auch nicht."

„Ich mache Licht", sagte Frau Steinmann und wollte ihre Nachttischlampe anknipsen.

Aber Konstantin riß blitzschnell den Stecker aus der Wand.

Herr Steinmann richtete sich auf. Seine Hand suchte den Schalter seiner Lampe. Aber Konstantin war längst herbeigesprungen und hatte auch hier den Stecker aus der Dose gezogen.

Herr Steinmann drückte den Schalter ein paarmal, dann stöhnte er: „Auch das noch! Wahrscheinlich eine Stromstörung."

Er stieg verdrossen aus dem Bett und machte sich auf die Suche nach den Decken. Endlich fand er sie in der Ecke. Aber er war zu müde, um sich darüber zu wundern, wie sie dort hingekommen war.

„Das ist eine Nacht!" jammerte er. „Dabei sollen wir doch ausgeschlafen sein für unseren Wochenendausflug."

Er warf einen Blick auf seine Uhr, sie hatte Leuchtziffern: „Schon fast halb zwei, und ich habe noch nicht einmal eine halbe Stunde geschlafen."

Immer Neues ließ sich Konstantin einfallen, um die beiden im Schlaf zu stören. Einmal kitzelte er Frau Steinmann an den Fußsohlen. Dann hielt er dem schnarchenden Herrn Steinmann die Nase zu oder zog ihm die Decke bis über die Ohren. Darauf kitzelte er

Frau Steinmann wieder mit seiner Schwanzspitze an der Nase, bis sie niesen mußte.

Es wurde immer schwieriger, die beiden zu wecken, so müde waren sie. Aber Konstantin war um Einfälle nicht verlegen, er bekam sie immer wieder wach.

Erst als der Morgen graute, ließ er von ihnen ab und schlich hinunter in seinen Holzverschlag. Dort legte er sich schlafen. Katzen treiben sich zwar gerne in der Nacht herum, aber jetzt war Konstantin selbst auch schon ein bißchen müde.

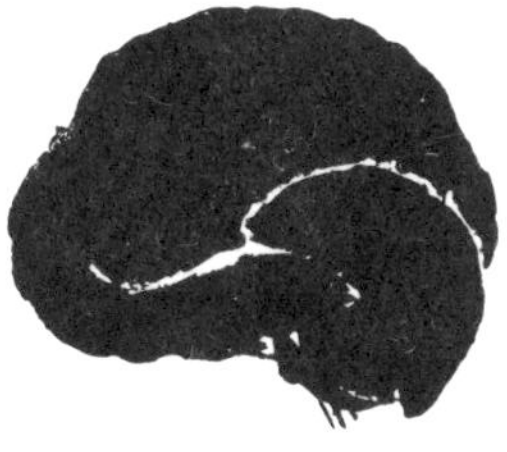

SCHLAFBÄREN UND EINE ZEITUNGSMELDUNG

Als Philipp erwachte, war es dreiviertel acht.

Es war noch ganz ruhig in der Wohnung.

Seltsam! dachte Philipp. Dann erinnerte er sich, daß er Watte in den Ohren hatte. Er zog sie heraus. Aber es blieb weiter alles ruhig.

Das wunderte Philipp. Sonst waren seine Eltern um diese Zeit schon lange auf und packten alles für den Wochenendausflug ein.

Philipp stieg aus dem Bett. Er ging hinüber zu seiner Schwester.

Auch sie lag schon wach.

„Was ist denn mit den beiden?"

„Sie schlafen noch", sagte Uschi.

„Komisch", fand Philipp.

Dann gingen sie ins Elternschlafzimmer. Hier war es noch dunkel, denn die Vorhänge waren geschlossen.

Uschi zog sie weg.

Der Vater schnarchte, daß die Wände zitterten.

Philipp rüttelte ihn an den Schultern.

„Aufstehen!" rief er. „Es ist gleich acht!"

Da fuhr der Vater hoch und schrie: „Zum Kuckuck

noch einmal! Kann man denn diese Nacht keine Ruhe haben?“

Er fiel gleich wieder auf seinen Polster zurück und wollte weiterschlafen.

Philipp rüttelte ihn noch einmal.

Da blinzelte der Vater ein bißchen und murmelte erleichtert:

„Ach, du bist’s, Flip!“

„Ja, Papa. Aufstehen! Gleich acht Uhr.“

„Laß mich noch ein bißchen schlafen“, bat der Vater.

Da wachte auch die Mutter auf und schimpfte: „Ruhe! Ich bin müde, ich will schlafen.“

Uschi flüsterte: „Wollten wir nicht einen Ausflug machen?“

Der Vater aber bedauerte: „Ich fürchte, daraus wird nichts. Auf meinen Schultern sitzen zwei Schlafbären. Die haben ganz, ganz weiche Pfoten. Damit drücken sie mir immer die Augen zu.“

„Du träumst ja noch, Papa!“ kicherte Uschi.

„Keine Spur!“ wehrte sich der Vater und richtete sich mühsam auf. „Wißt ihr, diese Schlafbären, die sind so schwer wie . . . na eben: wie richtige Bären. Mit zwei so dicken Kerlen auf den Schultern ist das Aufstehen sehr, sehr schwierig.“

Er nahm die Weckeruhr vom Nachttisch und hielt sie dicht vor die Augen.

„Hat zufällig jemand Streichhölzer?“

„Du wirst doch nicht im Bett rauchen wollen?" fragte die Mutter schlaftrunken.

„Nein", sagte der Vater. „Ich brauche Streichhölzer, um meine Augenlider hochzuspreizen. Diese verflixten Schlafbären drücken sie immer wieder zu."

Philipp lachte und nahm dem Vater den Wecker aus der Hand.

„Es ist gleich acht", sagte er, „aber schlaft ruhig weiter. Wir können ja nächstes Wochenende wieder wegfahren."

„Sehr richtig", murmelte der Vater und ließ sich wieder zurückfallen. „Nächstes Wochenende ist auch noch ein Wochenende." Und schon schnarchte er wieder.

Uschi flüsterte der Mutter zu: „Schlaf du auch weiter. Ich mache schon das Frühstück für Flip und mich."

Aber auch die Mutter war schon längst wieder eingeschlafen.

Uschi zog die Vorhänge wieder vor die Balkontür und schlich dann mit Philipp aus dem Zimmer.

Während Uschi in der Küche das Frühstück richtete, lief Philipp hinunter in den Hof und holte den Kater Konstantin.

Heute durfte er mit den Kindern frühstücken.

Konstantin trank eine Schale Milch, und zwischendurch erzählte er den beiden von seinem nächtlichen

Abenteuer. Dann fing er an, sein Fell zu lecken. Es war Zeit für die Morgenwäsche.

Da hörte er aber draußen an der Wohnungstür ein Geräusch. Er spitzte die Ohren.

„Was war das?“

Philipp ging nachsehen — und brachte die Zeitung mit.

„Die Zeitungsfrau hat sie durch den Briefschlitz geworfen.“

Gleich auf der ersten Seite der Zeitung stand es als riesige Überschrift:

ZIRKUSDIREKTOR BIETET 100.000 SCHILLING FÜR SPRECHENDE KATZE

Philipp las vor, was darunter stand:

„Wie bekannt, gastiert zur Zeit der Zirkus Rossano in unserer Stadt. Während der gestrigen Nachmittagsvorstellung ereignete sich ein merkwürdiger Zwischenfall. Gerade als die Raubtiernummer des berühmten Dompteurs Johann Johannson begonnen hatte, tauchte plötzlich eine riesengroße schwarze Katze auf. Bisher konnte weder festgestellt werden, woher sie kam, noch wem sie gehört. Diese Katze . . .“

Und so weiter. Das andere war für Uschi, Philipp und Konstantin nicht so interessant. Sie hatten es ja selber erlebt.

Weiter unten aber hieß es:

„Das Gerücht von der sprechenden Katze verbreitete sich in Windeseile in der Stadt. Kurz vor Redaktionsschluß meldete sich bei uns ein Mann, der sich als Schriftsteller Franz Fliederbusch vorstellte. Er behauptete, er suche diese Katze schon seit Donnerstag mittag. Sie wäre nämlich — behauptete er — aus einer seiner Geschichten davongelaufen. Und er brauche sie — sagte er — ganz dringend. Er müßte seine Geschichte fertigschreiben. — Herr Fliederbusch erzählte uns noch mehr von dieser Art. Offensichtlich ist der Herr ein bißchen verrückt, wie ja viele Schriftsteller ein bißchen verrückt sind. Jedenfalls klingt seine Geschichte doch zu phantastisch, als daß man ihr Glauben schenken könnte."

Konstantin hatte bisher schweigend zugehört. Zuerst hatte es ihm gefallen — schließlich schrieben die Zeitungen nicht über jeden Kater. Jetzt aber schrie er wütend: „Was sind diese Zeitungsschreiber doch für Dummköpfe! Da erzählt ihnen einer eine wahre Geschichte — und sie halten ihn für verrückt, nur weil sie selber die Geschichte nicht verstehen."

Der Kater riß Philipp die Zeitung aus der Hand. Er konnte ja auch lesen. Immer wieder überflog er die Zeile, in der stand, daß Herr Fliederbusch ihn brauche. Das machte den Kater Konstantin mächtig stolz — aber auch ein bißchen traurig.

Er blickte die beiden Kinder an, und kleinlaut sagte

er: „Wenn ich euch beide nicht so gern hätte, würde ich jetzt zu Herrn Fliederbusch zurückgehen. Ein bißchen habe ich ihn nämlich auch gern. Und ich möchte nicht, daß man ihn für verrückt hält, nur weil ich ihm ausgerissen bin."

„Aber bei ihm darfst du doch nicht tun, was du willst", gab Uschi zu bedenken. Sie wollte auf keinen Fall, daß Konstantin zu Herrn Fliederbusch zurückging.

„Darf ich denn hier tun, was ich will?“ fragte Konstantin. „In die Wohnung darf ich nur, wenn eure Eltern nicht da sind oder wenn ich sie müde gemacht habe. Auf die Straße darf ich erst wieder, wenn der Zirkus fort ist. Ins Schwimmbad darf ich nur, wenn es der Herr Bürgermeister erlaubt.“

Da sprach Philipp endlich aus, was auch Uschi dachte: „Wir möchten aber, daß du bei uns bleibst.“

Der Kater nickte: „Ich will ja auch bei euch bleiben. Aber ich möchte auch, daß man Herrn Fliederbusch nicht länger für verrückt hält. Das ist er nämlich nicht.“

„Aber was machen wir denn dann?“ fragte Uschi traurig.

Da lachte Konstantin auf einmal: „Wie immer! Zuerst einmal: mein famoses Katzenhirn anstrengen!“

Er setzte sich — wie gewöhnlich, wenn er nachdachte — auf seine Hinterpfoten, legte sorgsam den Schwanz um die Vorderpfoten und drückte fest die Augen zu.

Diesmal dauerte es sehr, sehr lange, bis er rufen konnte: „Eins, zwei, drei, ich hab's!“

„Was denn?“

„Laßt mich nur machen!“ rief der Kater aufgeregt. „Aber ihr müßt mir helfen. Ich habe eine Idee ... Rasch! Zieht euch an!“

So schnell waren Uschi und Philipp noch nie in ihre Kleider gefahren.

„Und jetzt holt die Tasche von gestern!“ kommandierte der Kater.

Zehn Sekunden später standen die Kinder mit der Tasche bereit.

„Dann los!“ rief Konstantin.

Aber Uschi fragte: „Und was ist, wenn unsere Eltern aufwachen, während wir weg sind?“

„Die wachen sicher nicht auf“, stellte Konstantin trocken fest.

Dann kletterte er in die Tasche.

„Ihr müßt mich hinauf auf den Schloßberg tragen. Das wird wohl nicht leicht sein, denn für eine Katze bin ich reichlich schwer. Aber ich kann es euch nicht ersparen. Und ich würde ja auch viel lieber laufen. In einer Tasche zu schaukeln, das ist wirklich kein Vergnügen.“

Philipp zog den Reißverschluß zu, und los ging's.

DER KATER STELLT BEDINGUNGEN

Quer durch die Stadt marschierten Uschi und Philipp — immer auf den waldbedeckten Schloßberg zu. Das war ein langer, beschwerlicher Weg. Es schien den Kindern, als würde Konstantin in der Tasche von Minute zu Minute schwerer.

Am Fuß des Schloßbergs endlich hielten die Kinder eine Rast.

Von hier aus konnte man die Häuser schon sehen, die auf der Kuppe oben auf einer Waldlichtung standen. Eine Autostraße schlängelte sich dort hinauf.

Philipp öffnete den Reißverschluß der Tasche, damit Konstantin frische Luft bekam.

„Du, Konstantin, wenn man durch den Wald geht, ganz gerade hinauf, da kommt man doch auch zu den Häusern?“

„Klar“, sagte Konstantin und sprang aus der Tasche. „Im Wald ist es auch viel kühler. Und da kann ich selber laufen. Ihr müßt mich nicht mehr tragen.“

Und so geschah es auch. Sie waren schon nah an ihrem Ziel, da kam ihnen ein Mann entgegen. Er war grün gekleidet, an seiner Schulter hing ein Gewehr.

Es war ein Förster. Er führte einen Dackel an der Leine.

Der Schreck fuhr den dreien in die Glieder.

Aber der Förster hatte offenbar noch nichts von dem Kater gehört, der gestern die Zirkusvorstellung gestört hatte, denn er erwiderte freundlich den Gruß der Kinder und fragte: „Geht ihr ein bißchen spazieren im Wald?“

„Nein“, sagte Philipp. „Wir wollen Herrn Fliederbusch besuchen, der wohnt dort oben.“

„Aber warum seid ihr nicht auf der Straße geblieben?“ erkundigte sich der Förster.

„Wir finden es im Wald viel schöner“, antwortete Uschi.

Da lachte der Förster.

„Das kann ich verstehen.“ Er freute sich immer, wenn jemand den Wald lobte. „Es gibt nichts Schöneres als den Wald. — Aber paßt auf eure Katze auf. Wenn ich erfahre, daß sie wildert, muß ich sie erschießen.“

Der Kater Konstantin hatte sich fest vorgenommen, nicht mit Menschenstimme zu reden. Er wollte nicht im letzten Augenblick noch alles verderben. Aber der Dackel des Försters blickte und knurrte ihn so drohend an, daß Konstantin losplatzte:

„Sagen Sie Ihrem Hund, er soll mich in Ruhe lassen! Sonst müßte ich ihm — so leid es mir täte — die Augen auskratzen.“

Der Förster blickte sich verwundert um: „Ist hier noch jemand?“

„Nein“, sagte Philipp.

„Natürlich muß da noch jemand sein. Es hat doch eben jemand gesprochen.“

„Das war unser Kater“, gab Uschi zögernd zu.

Da lachte der Förster schallend: „Der Kater? Ein sprechender Kater? Wer hat so etwas schon gehört?“

„Sie selber“, sagte Konstantin. „Vor einer halben Minute haben Sie so etwas gehört. Und gerade jetzt hören Sie wieder so etwas.“

Der Förster blickte mißtrauisch zu Konstantin hinunter. Dann musterte er Uschi und zuletzt Philipp. Er dachte nach, er lüftete seinen grünen Hut und kratzte sich auf dem Kopf. Dann rief er: „Mich kriegt ihr nicht dran! Ich weiß schon“, er zeigte auf Philipp: „Du bist ein Bauchredner, stimmt's?“

„Ich weiß gar nicht, was ein Bauchredner ist“, stotterte Philipp.

Der Förster lachte.

„So, so, das weißt du nicht. Dann muß ich es dir wohl erst sagen, was?“ Er hielt das für einen herrlichen Spaß. „Ein Bauchredner kann sprechen, ohne den Mund dabei zu bewegen. Und das klingt dann genauso, als käme die Stimme von woanders her.“

„Aber das ist doch dumm. Ich spreche: der Kater Konstantin.“

Der Förster hatte wie gebannt Philipps Lippen beobachtet. Jetzt freute er sich: „Ausgezeichnet! Du hast deine Lippen nicht ein bißchen bewegt."

Da meinte Konstantin: „Sie begreifen aber gar nichts. Wieso soll Flip die Lippen bewegen, wenn ich spreche?"

Da war das Gesicht des Försters mit einemmal gar nicht mehr freundlich. „Nicht frech werden, Bürschchen“, drohte er Philipp, „sonst werde ich dir das Fell gerben.“

Jetzt mußte Konstantin aber lachen: „Sie begreifen ja noch viel schwerer, als ich dachte. Haben Sie denn nicht bemerkt, daß Flip kein Fell hat, sondern eine Haut?“

Das Gesicht des Försters verdüsterte sich immer mehr.

„Ein freches Wort noch, Freundchen, und ich ziehe dir die Ohren lang.“

„Bitte, tun Sie das nicht!“ rief Konstantin erschrokken. „Ich finde Schlappohren einfach lächerlich. Sehen Sie sich nur einmal Ihren Dackel an.“

„Jetzt habe ich aber die Nase voll!“ schrie der Förster.

„Da sollten Sie sich schneuzen“, riet ihm der Kater.

Der Förster wollte sich auf Philipp stürzen, besann sich aber und brüllte: „Verschwindet von hier! Katzen haben überhaupt nichts zu suchen im Wald!“

Konstantin aber wußte wieder eine Antwort: „Natürlich nicht. Darum suchen wir auch nichts. Wenn Katzen im Wald aber wirklich etwas verloren hätten, dann würden sie es sicher auch dort suchen.“

Der Förster schrie wütend: „Weg! Weg! Geht zum Teufel!“

„O nein“, lachte der Kater. „Zu dem gehen wir nicht, sondern zu Herrn Fliederbusch.“

Da hob der Förster einen Stock auf und drohte: „Na wartet, ich werde euch Beine machen!“

Da liefen Uschi, Philipp und Konstantin so schnell sie nur konnten.

Der Kater aber blieb in sicherer Entfernung noch einmal stehen und rief zum Förster zurück: „Wozu wollen Sie uns Beine machen? Wir haben doch Beine: Uschi hat zwei, Flip hat auch zwei, und ich habe sogar vier. Mehr Beine könnten wir gar nicht brauchen.“

Dann lief auch er weiter.

Glücklicherweise war Herr Fliederbusch zu Hause. Er saß in seinem Arbeitszimmer am Schreibtisch und dachte über eine neue Geschichte nach. Aber es fiel ihm keine ein. Er mußte immer wieder an den Kater Konstantin denken.

Herr Fliederbusch erschrak sehr, als er plötzlich eine Stimme hinter sich hörte.

Sie sagte: „Einen schönen Vormittag wünsche ich, Herr Fliederbusch.“

Er drehte sich um — und sah den Kater Konstantin.

„Wo kommst du denn her, Konstantin?“ stammelte Herr Fliederbusch.

„Durchs Fenster“, antwortete der Kater. „Katzen läuten für gewöhnlich nicht an der Tür, oder?“

Herr Fliederbusch hatte sich vorgenommen, Konstantin tüchtig auszuschimpfen, wenn er ihn wiederbekäme. Aber jetzt brachte er es nicht übers Herz. Er freute sich einfach, daß Konstantin wieder da war.

„Ich habe auch jemanden mitgebracht“, sagte der Kater. „Das heißt: Eigentlich haben sie mich mitgebracht. Sie stehen draußen vor der Tür.“

Herr Fliederbusch ging nachsehen, und Konstantin machte ihn mit Uschi und Philipp bekannt.

Herr Fliederbusch führte seine Gäste ins Wohnzimmer, dann holte er einen Krug Limonade. Endlich setzten sich alle an einen Tisch.

Nach einer Weile sagte Herr Fliederbusch: „Ich habe mir Sorgen um dich gemacht, Konstantin. Stell dir nur vor: die Leute vom Zirkus hätten dich eingefangen!“

Und Konstantin sagte: „Ich habe mir auch Sorgen um Sie gemacht, Herr Fliederbusch. Stellen Sie sich nur vor: die ganze Stadt hielte Sie für verrück.“

Dann schwiegen alle vier und tranken Limonade.

Endlich aber stand Herr Fliederbusch auf. Er bedankte sich bei den Kindern dafür, daß sie ihm den Kater zurückgebracht hatten.

Und zu Konstantin sagte er: „Auf, an die Arbeit. Du bist aus einer halbfertigen Geschichte davongelaufen. Wir müssen die Geschichte zu einem Ende bringen.“

Da sprang Uschi auf und stammelte: „Herr Fliederbusch, wir möchten Ihnen etwas sagen.“ Aber sie wußte nicht, wie sie anfangen sollte. Darum stieß sie ihren Bruder in die Seite und zischte: „Sag's du!“

Auch Philipp stotterte herum: „Ja, Herr ... Herr Fliederbusch. Es ist nämlich so ... wir drei ... Konstantin und meine Schwester und ich ... wir drei ... wir möchten gerne zusammenbleiben, alle drei. Nämlich: wir möchten, daß Konstantin bei uns bleibt.“

Herr Fliederbusch schaute verlegen zu Boden. Es tat ihm leid, daß er die Kinder enttäuschen mußte: „Leider brauche ich Konstantin für meine Geschichte. Ich habe ihn für diese Geschichte erfunden ... Ein Vorschlag: Ich schreibe diese Geschichte fertig. Sie wird bald als Buch herauskommen. Dann schenke ich jedem von euch ein Buch, und wann immer ihr darin lest, ist Konstantin wieder bei euch. Hm?“

Uschi schüttelte nur stumm den Kopf.

Und Philipp sagte stockend: „Nein, wir möchten, daß er so bei uns ist, so wie er in den letzten beiden Tagen bei uns war.“

Konstantin saß da, als ginge ihn das alles gar nichts an.

Das machte Uschi wütend: „Sag doch auch etwas, Konstantin! Es war doch deine Idee, daß wir dich heraufbringen sollten.“

Der Kater grinste. „Ich wollte abwarten. Ich wollte

sehen, ob euch Menschen auch etwas einfällt. Das ist anscheinend nicht der Fall. Darum werden wir tun, was sich mein famoses Katzenhirn ausgedacht hat."

Er stand auf und trat vor Herrn Fliederbusch:

„Also, mein Herr. Zuerst möchte ich, daß Sie mir hier in Ihrem Wohnzimmer ein Bett aufstellen. Ich werde zwar nicht immer bei Ihnen wohnen, aber wenn ich Sie besuche, dann möchte ich ordentlich schlafen können."

„Aha", sagte Herr Fliederbusch. Mehr fiel ihm nicht ein.

„Außerdem verlange ich", fuhr der Kater fort, „daß ich in Zukunft kommen und gehen kann, wann ich will. Ich gehe hin, wohin es mir gefällt. Sie haben mir nichts mehr zu befehlen. Ab sofort tu ich nur noch, was mir Spaß macht. — Und dann habe ich noch eine dritte Bedingung."

„Und die wäre?"

„Sie besorgen mir endlich eine Brille, damit ich ordentlich sehen kann. Wir Katzen sind für unsere scharfen Augen berühmt. Eine kurzsichtige Katze macht sich lächerlich."

„Und was bekomme ich, wenn ich deine Bedingungen erfülle?" wollte Herr Fliederbusch wissen.

„Sie dürfen ihre halbfertige Geschichte wegwerfen, aus der ich davongelaufen bin. Sie bekommen dafür von mir eine viel bessere Geschichte. Ich werde sie

Ihnen erzählen, und Sie dürfen sie niederschreiben und meinetwegen auch verkaufen."

Herr Fliederbusch zögerte, aber Konstantin meinte: „Entscheiden Sie sich schnell, mein Herr, sonst bin ich auch schon wieder fort."

Da stimmte Herr Fliederbusch — widerwillig, aber doch — zu.

Konstantin verabschiedete sich von Uschi und Philipp:

„Heute und morgen sind ja eure Eltern zu Hause. Aber am Montagvormittag bin ich wieder bei euch. Bis dahin werden Herr Fliederbusch und ich mit der Geschichte fertig sein. Und am Montag ist auch der Zirkus schon wieder fort. Bis Montag also."

„Wir warten auf dich", sagten die Kinder.

Dann verabschiedeten sie sich auch von Herrn Fliederbusch. Konstantin brachte sie noch bis an die Haustür.

Als der Kater zurückkam, rief er laut: „Worauf warten wir noch, mein Herr? An die Arbeit!"

Sie gingen ins Arbeitszimmer, und Herr Fliederbusch mußte sich an die Schreibmaschine setzen.

Konstantin aber machte es sich in einem weichen Lehnstuhl bequem.

„Also hören Sie zu, Herr Fliederbusch, und schreiben Sie:

Es war an einem Donnerstagnachmittag im Sommer.

Der Bäckermeister Semmelweiß öffnete seine Ladentür — aber nur einen Spalt breit. Er blinzelte hinaus auf die Stifterstraße.

‚Was für eine Hitze!' stöhnte er ..."

Und so weiter.

Wort für Wort diktierte der Kater Konstantin Herrn Fliederbusch die Geschichte, die i h r gerade gelesen habt.

INHALT

Liebe Freunde!

Wie hat sie Euch gefallen,
die Geschichte vom Kater Konstantin?
Wollt Ihr mir Eure Meinung schreiben?
Wenn ja, hier ist meine Anschrift:

W. J. M. Wippersberg
c/o K. THIENEMANNS VERLAG
Blumenstraße 36
7000 Stuttgart 1

Natürlich werde ich Eure Briefe
auch beantworten.

Euer

WJM Wippersberg

Sicher wollt Ihr wissen, was der Kater Konstantin weiter erlebt. Dann müßt Ihr die beiden Fortsetzungsbände lesen:

'KONSTANTIN WIRD BERÜHMT

Hier spricht sich die Sensation vom sprechenden Kater langsam herum, und Zeitungsleute reißen sich darum, Konstantin interviewen zu dürfen. Schließlich tritt der Kater sogar im Fernsehen auf. Natürlich geht das alles nicht ohne turbulente Zwischenfälle ab, denn — das wißt Ihr ja schon — um lustige Einfälle ist Konstantin nie verlegen.

KONSTANTIN AUF REISEN

heißt der dritte Kater-Konstantin-Band. — Weil es dem Kater nicht gefällt, daß die Menschen mit ihm Geschäfte machen wollen, läuft Konstantin davon und zieht hinaus in die weite Welt. Und dort erlebt er eine ganze Menge komischer und auch sehr spannender Abenteuer.

Genauso lustig wie in den Kater-Konstantin-Geschichten geht's in einem anderen Buch von W. J. M. Wippersberg zu, es heißt

OPA — UNSERE VERRÜCKTEN ABENTEUER

Was Opa in jungen Jahren nicht tun konnte oder durfte, das will er nun nachholen. Wie er damit die Erwachsenen zur Verzweiflung, seine Enkelkinder aber zum Jubeln bringt, das wird in diesem Buch höchst vergnüglich geschildert.

Für Kinder ab 9 Jahren hat Wippersberg noch ein anderes Buch geschrieben. Es wurde mit dem „Österreichischen Staatspreis" und mit dem „Kinderbuchpreis der Stadt Wien" ausgezeichnet und heißt

SCHLAFEN AUF DEM WIND

Paulchen und sein Vater entdecken eines Tages, daß sie fliegen können. Fliegen wie richtige Vögel. — Seltsamerweise ändert sich dadurch aber nur wenig in ihrem bis dahin recht traurigen Leben. — Ein bezauberndes Buch voll Phantasie und Humor.